700 Cocktails
pour tous les goûts

AVEC ET SANS ALCOOL

700 Cocktails pour tous les goûts

AVEC ET SANS ALCOOL

Auzou

CORRESPONDANCE DES MESURES

1 litre	10,00 dl	100,00 cl	1000,00 ml	1000,00 g
3/4 litre	7,50 dl	75,00 cl	750,00 ml	750,00 g
1/2 litre	5,00 dl	50,00 cl	500,00 ml	500,00 g
1/4 litre	2,50 dl	25,00 cl	250,00 ml	250,00 g
1/8 litre	1,25 dl	12,50 cl	125,00 ml	125,00 g
1 verre à vin blanc	1,50 dl	15,00 cl	150,00 ml	150,00 g
1 tasse	1,50 dl	15,00 cl	150,00 ml	150,00 g
1 verre à liqueur	0,50 dl	5,00 cl	50,00 ml	50,00 g
1 verre à vodka	0,20 dl	2,00 cl	20,00 ml	20,00 g
1 cuillerée à soupe	0,15 dl	1,50 cl	15,00 ml	15,00 g
1 cuillerée à café	0,05 dl	0,50 cl	5,00 ml	5,00 g

1 trait correspond à 3 ou 4 gouttes de liquide ou à 1 gramme.

Les valeurs en grammes (colonne de droite) sont données pour l'eau. Elles peuvent être légèrement diminuées pour les liquides de faible densité (alcools) ou augmentées pour les liquides plus épais (sirops).

Sauf indications contraires, les recettes sont indiquées pour une personne.

Lorsque dans une recette, il est question de zeste ou d'écorce de fruits, il s'agit, bien entendu, de fruits intacts. Par ailleurs, lorsqu'il est question de thé c'est,en fait, toujours de thé noir qu'il s'agit, sauf si une autre variété est mentionnée.

Traduction : A. Rück

© Éditions Philippe Auzou, Paris, 2002
Dépôt légal mars 2002
ISBN 2-7338 0687-4
Imprimé en Slovaquie par Neografia

SOMMAIRE

COCKTAILS À BASE D'EAU

ADAM ET ÈVE

2 cubes de glace

2 cl de liqueur d'orange

2 cl d'eau-de-vie de vin

2 cl de gin

Il existe des cocktails typiques pour dames et d'autres faits spécialement pour les hommes. Tout dépend de leur composition. L'Adam et Ève, à la fois mélange doux et amer, est un véritable cocktail de couple. Concasser les cubes de glace et les mettre dans le shaker avec les autres ingrédients. Bien secouer et servir dans un verre à cocktail.

AFTERWARDS

4 cubes de glace

1,5 cl de kirsch

1,5 cl d'eau-de-vie de vin

1,5 cl de liqueur de menthe

2 cuillerées à café de grenadine

Concasser la glace et en remplir une coupe à champagne jusqu'à la moitié environ. Ajouter les autres ingrédients et bien mélanger le tout à l'aide d'une longue cuiller. Servir avec une paille.

AIDE AU DÉVELOPPEMENT

3 cubes de glace

1 œuf entier

12 cl de café fort glacé

3 cl de porto

3 cl d'eau-de-vie de vin

Piler la glace et la mettre dans le shaker. Ajouter tous les ingrédients, bien secouer et servir dans un grand verre ou, encore mieux, dans un verre ballon.

AMERICAN BEAUTY

2 cl de grenadine

5 cl de jus d'orange

2,5 cl d'eau-de-vie de vin

5 cl de vermouth

3 cubes de glace

1 ou 2 rondelles de citron

1 rondelle d'orange

1 cerise à cocktail

1 cuillerée à café de porto

Bien mélanger la grenadine, le jus d'orange, l'eau-de-vie et le vermouth dans un grand verre. Piler la glace et la mettre dans une timbale moyenne. Ensuite, verser par-dessus le mélange obtenu et décorer avec les fruits. Laisser tomber le porto goutte à goutte au-dessus. Servir avec une paille et une longue cuiller.

April shower

APRIL SHOWER

2 cubes de glace

2,5 cl de bénédictine

2,5 cl de cognac ou d'eau-de-vie de vin

Le jus d'une orange sans pulpe

Eau de Seltz

L'April shower provient d'une recette qui était déjà connue au début du siècle. Aujourd'hui, cette recette est toujours aussi alléchante. Mettre les glaçons dans une grande coupe. Verser la bénédictine et le cognac sur la glace et bien remuer le tout. Ajouter ensuite le jus d'orange. Selon le goût, compléter avec l'eau de Seltz. Servir avec une paille.

AYERS ROCK

2 cubes de glace

2 cl d'eau-de-vie de vin

2 cl de curaçao blanc

2 cl de jus d'orange

1 trait d'angustura

Bitter

Mousseux

1 rondelle d'orange

1 cerise à cocktail

Ayers rock

Piler la glace et la mettre dans le shaker. Verser l'eau-de-vie de vin, le curaçao, le jus d'orange et l'angustura au-dessus ; frapper et verser dans une grande coupe. Compléter avec le mousseux et décorer avec la rondelle d'orange et la cerise.

Bazooka cocktail

BALTIMORE EGGNOG

1 jaune d'œuf

2 cl d'eau-de-vie de vin

2 cl de rhum

2 cl de madère

12 cl de lait

1 pincée de noix de muscade râpée

Bien secouer le jaune d'œuf, l'eau-de-vie de vin, le rhum et le madère dans le shaker et verser dans un verre ballon ou une coupe. Compléter avec le lait et saupoudrer de noix de muscade râpée. Servir avec une paille.
Pour un goût plus prononcé on pourra employer du piment de Cayenne à la place de la muscade.

BAZOOKA COCKTAIL

3 cubes de glace

2 cl de chartreuse verte

1 cl d'eau-de-vie de vin

1 cl de cherry brandy

1 cl de gin

1 cuillerée à dessert de morceaux d'ananas en boîte

Piler la glace et la mettre dans le shaker. Verser la chartreuse, l'eau-de-vie de vin, le cherry brandy et le gin sur la glace, bien secouer le shaker et verser le contenu dans une coupe à cocktail. Décorer avec les morceaux d'ananas ; planter un bâtonnet dans un des morceaux de fruit. On pourra servir ce cocktail accompagné de macarons.

BEL AMI

2 cl d'eau-de-vie de vin

2 cl d'abricot brandy

2 cl de crème fraîche liquide

1 cuillerée à dessert bien remplie de glace à la vanille

Les hommes aussi sont amateurs de douceurs et apprécient certainement le mélange de glace et d'alcool. Ils ne sont d'ailleurs pas les seuls.
Passer tous les ingrédients au mixer et servir dans une coupe. On pourra accompagner ce cocktail de gaufrettes.

BODYBUILDING

2 cl de marasquin

2 cl d'eau-de-vie de vin

2 cl de crème fraîche

1 jaune d'œuf intact

Voici un apéritif qui se doit d'être bu d'une seule traite. Passer au mixer le marasquin, l'eau-de-vie de vin et la crème et servir dans un verre à vin. Faire glisser délicatement le jaune sur le mélange et boire aussitôt.

Bodybuilding

BRANDY COCKTAIL

1 à 2 cubes de glace

2 traits d'angustura bitter

3,5 cl d'eau-de-vie de vin

1,5 cl de vermouth rouge

1 zeste de citron

Olives ou petits oignons

On préparera ce cocktail dans un simple verre à mélange. Piler la glace, la mettre dans le verre à mélange et verser par-dessus l'angustura, l'eau-de-vie de vin et le vermouth. Bien mélanger le tout et remplir un verre à cocktail. Selon le goût, disposer un zeste de citron dans le verre. Servir avec des olives ou des petits oignons piqués.

BRANDY COOLER

3 à 4 cubes de glace

5 cl d'eau-de-vie de vin

Eau de Seltz

1 ruban d'écorce d'orange

Verser l'eau-de-vie de vin sur la glace, ajouter l'eau de Seltz, mélanger et décorer le verre avec le ruban d'orange.

De gauche à droite :
Brandy crusta
Brandy cooler
Brandy cocktail

BRANDY CRUSTA

Le jus d'un demi-citron

2 cuillerées à dessert de sucre

2 cubes de glace

1 cuillerée à café de sirop de sucre

3 traits de marasquin

2 traits d'angustura bitter

5 cl d'eau-de-vie de vin

1 ruban d'écorce de citron

Le maître de maison devrait essayer cette recette originale afin de pouvoir l'offrir à des amis.
Préparer d'abord le givrage du verre : remplir une sous-tasse avec le sucre et une autre avec le jus de citron. Retourner le verre et passer le bord du verre d'abord dans le jus de citron, laisser égoutter un peu, puis le passer dans le sucre. Remettre le verre à l'endroit et laisser sécher le «givrage». Piler la glace et la mettre dans le shaker. Passer le jus de citron et le verser sur la glace avec le sirop de sucre, le marasquin, l'angustura bitter et l'eau-de-vie de vin. Bien secouer le shaker. Verser le contenu du shaker dans le verre givré et accrocher le ruban de citron au verre.

BRANDY DAISY

3 cubes de glace

Le jus d'un demi-citron

1 cl de grenadine

2 cl d'eau-de-vie de vin

Eau de Seltz

3 à 4 cerises à cocktail

Voici un drink pour dames, idéal pour les petites réceptions de l'après-midi.
Piler la glace et la mettre dans le shaker. Verser par-dessus le jus de citron, la grenadine et l'eau-de-vie de vin. Secouer fortement et verser dans une coupe à champagne ; ajouter un doigt d'eau de Seltz. À la fin, garnir avec les cerises. Pensez à joindre des bâtonnets afin d'attraper les cerises sans peine.

BRANDY FIX

1 cuillerée à café de sirop de sucre

2 cl de cherry brandy

Le jus d'un demi-citron

4 cl d'eau-de-vie de vin

1 cube de glace

1 fine rondelle de citron

Emplir une petite coupe avec le sirop de sucre, le cherry brandy, le jus de citron passé et l'eau-de-vie de vin. Bien remuer et ajouter la glace finement râpée au-dessus. Disposer enfin la rondelle de citron par-dessus.

11

BRANDY FLIP

2 cubes de glace

1 jaune d'œuf

2 cuillerées à café de sirop de sucre

5 cl d'eau-de-vie de vin

On servira cette boisson dans une coupe à champagne ou dans une petite timbale. Piler la glace et la mettre dans le shaker. Ajouter le reste des ingrédients, secouer fort et rapidement et verser dans la coupe ou la timbale. Selon le goût, on pourra saupoudrer de noix de muscade.

BRANDY HIGHBALL

1 cube de glace

1 cuillerée à café de jus de citron

1 cuillerée à café de sirop de sucre

1 trait d'orange bitter

2 cl d'eau-de-vie de vin

3 cubes de glace,

Eau de Seltz.

Ce long drink léger rafraîchit après une journée de travail et ranime les esprits fatigués. Piler la glace et la mettre dans le shaker. Verser par-dessus le jus de citron, le sirop de sucre, l'orange bitter et l'eau-de-vie de vin. Bien secouer le tout et servir dans un grand verre. Mettre des glaçons et, selon le goût, ajouter de l'eau de Seltz.

De gauche à droite : Brandy smash, Brandy Pick-me-up (page 136), Brandy highball

BRANDY SLING

3 cubes de glace

1 trait d'angustura

Le jus d'un demi-citron

1 cuillerée à café de sirop de sucre

8 cl d'eau-de-vie de vin

Eau plate froide

Mettre les glaçons dans un grand gobelet. Ajouter tous les ingrédients, sauf l'eau. Bien remuer, compléter avec l'eau froide, mélanger et servir.

BRANDY SMASH

1 cuillerée à café de sucre

1 cuillerée à café d'eau

2 branches de menthe fraîche

5 cl d'eau-de-vie de vin

3 à 4 cubes de glace

Brandy sling

3 à 4 rondelles de citron vert

2 fraises

1 cerise à cocktail

1 à 2 grains de raisin

Nous vous conseillons ce long drink rafraîchissant pour vous et vos amis lorsqu'il fait très chaud en été.

Mettre le sucre dans le shaker et le dissoudre avec l'eau. Ajouter les feuilles de menthe que vous presserez avec la cuiller à mélange avant de les retirer. Verser l'eau-de-vie de vin et secouer fortement le shaker. Emplir à moitié un verre à vin avec la glace finement râpée. Verser le contenu du shaker sur cette glace et garnir la surface avec les fruits. Servir ce drink avec une paille et une cuiller.

BUTTERFLY FLIP

2 à 3 cubes de glace

1 jaune d'œuf

1 cuillerée à café de sucre

1 cuillerée à dessert de crème fraîche

2,5 cl de cognac

2,5 cl de crème de cacao

Noix de muscade.

Voici un long drink à servir le matin ou l'après-midi, à l'heure du thé. Le Butterfly flip remplace aisément un en-cas car sa composition — œuf, sucre, crème et alcool — est très riche en calories. Bien secouer tous les ingrédients dans le shaker. Verser dans une coupe à champagne. Saupoudrer d'un peu de noix de muscade râpée. Servir aussitôt avec une paille.

CALVADOS SMASH

2 à 3 cubes de glace

2 cuillerées à dessert de fruits variés

1 cuillerée à café de sucre

1 trait d'eau de Seltz

4 feuilles de menthe fraîche concassées

3 traits de crème de menthe

2 cl de calvados

1 trait de bénédictine

Jus de pomme pour compléter

1 feuille de menthe pour décorer

Le Calvados smash fait partie des long drinks et la menthe lui donne une saveur très rafraîchissante.

Piler la glace très finement et la mettre dans un verre à cobbler. Décorer avec les fruits en les déposant sur la glace pilée. Mélanger le sucre et l'eau de Seltz dans le shaker. Ajouter les feuilles de menthe, la crème de menthe, le calvados et la bénédictine. Bien secouer. Passer dans le verre à cobbler. Verser le jus de pomme par-dessus. Garnir d'une feuille de menthe et servir avec une paille.

CAPRI COCKTAIL

2 à 3 cubes de glace

1 cuillerée à café de Campari

1,5 cl de vermouth rouge

3,5 cl d'eau-de-vie de vin

1 cerise à cocktail pour décorer

Vous pourrez servir ce cocktail en apéritif avant le dîner. Mélanger la glace et tous les ingrédients dans un verre à mélange. verser ce mélange dans une timbale moyenne et décorer avec la cerise.

Capri cocktail

CIDER CUP 1

POUR 4 À 6 PERSONNES

600 g d'ananas en morceaux

2 à 3 oranges

5 cl de calvados

5 cl d'eau-de-vie de vin

5 cl de curaçao orange

2 litres de jus de pomme

1 bouteille d'eau minérale

Contrairement aux vins aromatisés, les cups contiennent presque toujours des quantités assez importantes de liqueurs et spiritueux. Il ne faut donc pas sous-estimer leur forte teneur en alcool. «Cider» est le nom anglo-saxon désignant le cidre en français. Ce que l'on appelle «sweet cider», en revanche, est du jus de pomme.
Mettre les morceaux d'ananas et les oranges coupées en rondelles dans un grand bol. Verser par-dessus le calvados, l'eau-de-vie de vin et le curaçao orange. Placer le tout trente minutes au réfrigérateur. Puis ajouter le jus de pomme et goûter. Compléter avec l'eau minérale. Servir dans des verres avec une cuiller.

CIDER CUP 2

POUR 4 PERSONNES

6 à 8 cubes de glace

1 litre de jus de pomme froid

8 cl d'eau-de-vie de vin

8 cl de curaçao orange

8 cl de marasquin

2 rondelles de citron

8 cuillerées à dessert de fruit frais

Eau de Seltz dessert

Mettre la glace dans un récipient à punch. Verser l'eau-de-vie de vin, le curaçao orange et le marasquin par-dessus. Ajouter les morceaux de fruits et remplir d'eau de Seltz à volonté.

COCKTAIL À L'EAU-DE-VIE DE PRUNE

2 à 3 cubes de glace

1,5 cl d'aquavit

2 cl d'eau-de-vie de prune

1,5 cl de liqueur de prune

1 pruneau

Mettre la glace, l'aquavit, l'eau-de-vie de prune et la liqueur de prune dans le shaker. Secouer énergiquement quelques secondes. Vider le contenu du shaker dans un verre à cocktail. Ajouter le pruneau et servir avec un bâtonnet.

Cocktail à l'eau-de-vie de prune

CŒUR ARDENT

1 tasse de moka très chaud

1 à 2 cuillerées de sucre

2 cl d'eau-de-vie de vin

Ce moka généreux redonnera la forme à vos invités lorsque la nuit sera déjà bien avancée.
Emplir la tasse à café de moka, sucrer à volonté, faire couler délicatement dans le café l'eau-de-vie de vin sur une cuiller, flamber et servir brûlant.

Cœur ardent

Crépuscule

CONEY ISLAND REFRESHER

3 cl d'eau-de-vie de vin

1 trait de liqueur de noix

12 cl de lait

Noix de muscade

Passer au mixer l'eau-de-vie de vin, la liqueur de noix et le lait. Verser dans un grand verre. Râper une pincée de noix de muscade au-dessus du verre et servir avec une paille.

COPACABANA COCKTAIL

2 à 3 cubes de glace

Le jus d'un demi-citron

1,5 cl de cognac

1,5 cl de Cointreau

2,5 cl d'abricot brandy

1 rondelle d'orange

Un cocktail qui devrait toujours être présent dans toutes les fêtes et réceptions. Mettre deux ou trois glaçons dans le shaker. Ajouter le jus de citron, le cognac, le Cointreau et l'abricot brandy. Secouer énergiquement le shaker. Verser dans une coupe à champagne en retenant les glaçons. Fixer la rondelle d'orange au bord du verre ou la mettre simplement dans le verre, puis servir avec une paille.

CRÉPUSCULE

2 cl d'eau-de-vie de vin

1 à 2 cubes de glace

Eau de Seltz

1 tranche d'orange

3 cerises à cocktail

Voici un long drink rafraîchissant pour un début de soirée agréable.
Mettre l'eau-de-vie de vin et les glaçons dans une timbale, emplir d'eau de Seltz, disposer la tranche d'orange et poser les cerises par-dessus. Servir avec une paille.

DELICIOUS SOUR

2 à 3 cubes de glace

1 cuillerée à café de sirop de sucre

Le jus d'un demi-citron

2 cl de calvados

2 cl de barack palinka

1 blanc d'œuf

Eau de Seltz

2 fins quartiers de pomme

Piler grossièrement la glace et la mettre dans le shaker. Ajouter les autres ingrédients, excepté l'eau de Seltz et les quartiers de pomme, puis secouer énergiquement le shaker. Vider dans une timbale moyenne. Compléter avec l'eau de Seltz. Décorer le bord du verre avec les quartiers de pomme. Servir avec une paille.

Delicious sour

Devil's own cocktail

ECUADOR

2 cl d'eau-de-vie de vin

2 cl de liqueur de moka

1 cuillerée à café de café soluble

1 cuillerée à café de sirop de caramel

2 cl de lait concentré

1 jaune d'œuf

1 cuillerée à dessert de glace à la vanille

Passer tous les ingrédients au mixer et servir dans une timbale avec une paille.

ECSTASY COCKTAIL

2 à 3 cubes de glace

2 cl de vermouth dry français

2 cl de drambuie

2 cl de cognac

Mettre la glace et tous les ingrédients dans le shaker et secouer énergiquement. Verser dans une coupe à cocktail en retenant les glaçons.

FEODORA COBBLER

3 cubes de glace

6 rondelles de banane

1 cl d'eau-de-vie de vin

1 cl de curaçao

1 cl de rhum

Eau de Seltz

1 tranche d'orange

DEVIL'S OWN COCKTAIL

2 à 3 cubes de glace

2,5 cl de cognac

2,5 cl de crème de menthe verte

1 pincée de paprika

Piler grossièrement la glace et la mettre dans le shaker. Ajouter le cognac et la crème de menthe et bien secouer le shaker. Vider dans un verre à cocktail. Saupoudrer de paprika et servir.

DIKI DIKI COCKTAIL

1 cl de jus de pamplemousse

1 cl de punch suédois

3 cl de calvados

2 à 3 cubes de glace

Un cocktail à l'arôme fruité, que l'on peut servir dès le matin.
Bien secouer tous les ingrédients, glace comprise, dans le shaker. Verser dans une coupe à cocktail.

Diki diki cocktail

Bien que l'on considère que les cobblers sont plutôt des boissons féminines, celui-ci un peu plus corsé plaira également aux hommes.
Piler très finement la glace et la mettre dans un verre à cobbler ou une coupe à champagne. Bien aplatir la glace. Poser dessus les rondelles de banane, verser l'eau-de-vie de vin, le curaçao et le rhum pardessus ; emplir d'eau de Seltz à volonté. Faire une entaille dans la tranche d'orange et la mettre sur le bord du verre. Servir avec une paille et une cuiller.

Ecstasy cocktail

Floater

FLAMINGO COOLER

3 cubes de glace

2 cl de liqueur de mûre

2 cl d'eau-de-vie de vin

2 cl de jus de citron

1 cuillerée à café de jus d'orange

1 à 2 cuillerées à café de sucre

Ginger ale

1 tranche d'orange

Les coolers contiennent, la plupart du temps, du ginger ale. Ils font partie des boissons désaltérantes. Mettre la glace dans le shaker. Verser, par-dessus, la liqueur de mûre, l'eau-de-vie de vin, le jus de citron et le jus d'orange, saupoudrer de sucre et secouer énergiquement.

Transvaser ensuite dans un verre et compléter de ginger ale à volonté. Décorer avec la tranche d'orange en la fixant sur le bord du verre.

FLOATER

3 à 4 cubes de glace

Eau de Seltz

4 cl d'eau-de-vie de vin

Remplir un grand verre ballon ou un grand gobelet jusqu'à la moitié avec les glaçons ou un assez gros morceau de glace. Verser l'eau de Seltz par-dessus, puis délicatement l'eau-de-vie de vin en la faisant couler contre la paroi du verre pour qu'elle ne se mélange pas avec l'eau. Servir avec une paille.

Feodora cobbler

GEORGIA MINT JULEP

2 cuillerées à café de sucre
6 cl d'eau
3 branches de menthe fraîche
2 cubes de glace
2,5 cl d'eau-de-vie de vin
2,5 cl d'abricot brandy
1 abricot ou 1 pêche
1 petite branche de menthe fraîche
1 rondelle de citron
1 rondelle de citron vert

Voici la boisson idéale pour les chaudes soirées d'été passées sur le balcon ou dans le jardin. Dissoudre le sucre dans l'eau, ajouter la menthe, laisser infuser environ trois minutes, la presser avec une cuiller à mélange et la retirer du liquide. Râper finement la glace et en remplir un gobelet. Verser dessus le mélange sucre-menthe, l'eau-de-vie de vin et l'abricot brandy. Couper le fruit dénoyauté en huit et s'en servir comme décoration. Mettre la petite branche de menthe au milieu et, éventuellement, rajouter les deux rondelles de citron. Servir avec une paille et une cuiller. On utilisera des fruits frais ou en conserve. La quantité dépendra du goût de chacun.

Georgia mint julep

GOGEL-MOGEL

1 œuf
1 jaune d'œuf
1 cuillerée à café de sirop de sucre
6 cl d'eau-de-vie de vin
1 pincée de noix de muscade râpée

Le sirop de sucre et la muscade donnent à ce drink une note personnelle, pleine de piquant.
Fouetter l'œuf entier et le jaune dans une petite soucoupe. Y faire couler lentement le sirop de sucre et l'eau-de-vie de vin. Continuer à battre jusqu'à ce que ça mousse. Verser dans une coupe à champagne évasée et saupoudrer de noix de muscade râpée.

Grog aux cerises

GROG
AUX CERISES

1 cuillerée à dessert de cerises à l'eau-de-vie dénoyautées

1 cuillerée à dessert de sucre candi blanc

3,5 cl d'eau bouillante

2 cl d'eau-de-vie

Mettre les cerises à l'eau-de-vie et le sucre candi dans un verre à grog réchauffé. Verser d'abord l'eau bouillante, puis l'eau-de-vie de vin dans le verre. Servir aussitôt avec bâtonnet ou une cuiller (pour les cerises).

HAUTE
COUTURE

1,5 cl d'eau-de-vie de vin

1,5 cl de crème de cacao

1,5 cl de bénédictine

Ce cocktail se prépare sans glace. Mettre, dans l'ordre, tous les ingrédients dans un verre à cocktail et servir avec une paille.

HARRY'S
PICK-ME UP

2 cubes de glace

1 cuillerée à café de grenadine

1 cl de jus de citron

2 cl d'eau-de-vie de vin

Mousseux très frais

Idéal pour commencer une petite fête, ce cocktail rafraîchit et délie les langues. Il convient aussi tout à fait comme apéritif avant le dîner. Mettre la glace dans le shaker, verser le jus de citron, la grenadine et l'eau-de-vie de vin par-dessus, secouer et servir dans une coupe à champagne. Compléter à volonté et selon le goût avec du mousseux très frais.

HIGHLIFE

2 à 3 cubes de glace

1 cuillerée à café de jus de citron

1 cuillerée à café de sirop de sucre

5 cl de cognac

Eau de Seltz

Mettre la glace dans un gobelet. Ajouter le jus de citron, le sirop de sucre et le cognac et remplir le verre d'eau de Seltz. Remuer.

Klondyke

KLONDYKE

3 cubes de glace

3,5 cl de calvados

1,5 cl de vermouth dry français

1 trait d'angustura

1 olive

1 zeste de citron

Ce before-dinner-cocktail se fait également appeler «Star-cocktail». Comme le Klondyke-Cooler, son nom lui vient de la région des chercheurs d'or qui se situe dans le Yukon.
Mettre la glace, le calvados, le vermouth dry et l'angustura dans un verre à mélange et bien remuer avec une cuiller à mélange. Servir dans un verre à cocktail. Décorer avec une olive et envoyer une fine pluie d'essence de citron sur le cocktail en pressant le zeste, entre le pouce et l'index, au-dessus du verre. Servir avec un bâtonnet pour piquer l'olive.

KRAMBAMBULI

POUR 6 À 8 PERSONNES

1 cuillerée à dessert de raisins

1 cuillerée à dessert de dattes dénoyautées

1 cuillerée à dessert de fruits sucrés

1 cuillerée à dessert d'eau-de-vie de genièvre

1 pain de sucre (500 g)

20 cl de rhum chaud

2 litres de vin blanc

1 litre de thé noir

Le jus de deux citrons

Le jus de deux oranges

Une boisson lourde et très sucrée dans laquelle la flamme bleue du rhum en train de flamber, rappelle la couleur bleue de l'ancienne liqueur. Placer tous les fruits dans une marmite en cuivre sur laquelle on posera une grille. Mettre dessus, le pain de sucre préalablement concassé, verser quelques gouttes de rhum sur celui-ci et flamber. Verser, ensuite, goutte à goutte le reste de rhum sur le pain de sucre. Lorsque le sucre et le rhum ont fini de flamber et ont coulé dans la marmite, mélanger dans une casserole le vin, le thé, les jus d'orange et de citron, faire frémir et verser dans la marmite. Normalement, on ne mange pas les fruits.

Krambambuli

LADY MARY

1/3 de concombre épluché

5 à 6 feuilles de basilic frais

1 rondelle d'oignon

2 à 3 cubes de glace

Sel et poivre selon le goût

Jus de tomate

2 cl d'alcool de graines de citron

2 petits oignons blancs au vinaigre

La Lady Mary est la sœur, moins connue, de la Bloody Mary. Toutes deux font partie des bons remèdes en cas de tête lourde ou d'estomac barbouillé.
Mixer en purée le concombre, les feuilles de basilic et la rondelle d'oignon. Mettre la glace dans un grand gobelet. Assaisonner cette purée avec sel et poivre, la verser sur la glace et remplir de jus de tomate et d'alcool de graines de citron. Décorer avec les petits oignons et servir avec une paille.

LAIT ROMANCE

2 cl d'eau-de-vie de vin

2 cl de curaçao blanc

1 cuillerée à café de grenadine

4 cl de lait concentré

1 jaune d'œuf

1 cuillerée à dessert bien remplie de glace à la vanille

Passer tous les ingrédients au mixer, verser dans un petit gobelet et servir avec une paille.

LIQUEUR DE FRAISE

600 g de fraises des bois bien mûres

1 litre d'eau-de-vie de vin

1/2 gousse de vanille

600 à 650 g de sucre candi

2 litres d'eau

2 litres d'eau-de-vie de vin

Éventuellement un peu de colorant alimentaire rouge

Vous pouvez, bien sûr, acheter de la liqueur de fraise mais elle sera bien meilleure si vous la faites vous-même. Réduire les fraises en purée et mettre celle-ci dans un pot. Ajouter l'eau-de-vie de vin et la gousse de vanille en petits morceaux. Bien remuer le tout et mettre en bouteilles. Laisser reposer les bouteilles bien fermées pendant quinze jours. Ensuite, recueillir le jus filtré dans un torchon. Dissoudre le sucre candi dans l'eau et faire bouillir environ vingt minutes. Mélanger le sirop de sucre refroidi avec le jus de fraise et l'eau-de-vie de vin filtrée. Passer ce liquide dans un filtre en papier et ajouter, éventuellement, du colorant alimentaire rouge. Mettre la liqueur de fraise en bouteilles et conserver au frais.

Klondyke

LIQUEUR AUX ŒUFS

POUR 3 À 5 PERSONNES

5 jaunes d'œuf

12 cl de lait concentré à 10%

23 cl d'eau-de-vie de vin

Passer d'abord au mixer les jaunes et le lait concentré, et ajouter ensuite l'eau-de-vie de vin. Mixer une nouvelle fois brièvement. Verser dans une carafe en verre, puis dans des verres à liqueur.

LIQUEUR DE VANILLE

125 g de sucre

33 cl d'eau

1 gousse de vanille

25 cl d'esprit-de-vin à 90%

4 cuillerées à dessert de rhum

De nombreux cocktails contiennent de la liqueur de vanille. Et, pourtant, on en trouve rarement dans le commerce. Il est donc conseillé de la faire soi-même, ce qui n'est d'ailleurs d'ailleurs très compliqué.

Mettre le sucre, l'eau et la gousse de vanille coupée en petits morceaux, dans une casserole. Amener à ébullition puis laisser cuire 10 min. Retirer la vanille. Filtrer cette eau sucrée, puis laisser refroidir. Mélanger, enfin, avec l'esprit-de-vin et le rhum. Remplir de cette liqueur une bouteille bien rincée et égouttée, puis y mettre un bouchon. Conserver au frais.

LIQUEUR DE VIOLETTES

200 g de violettes fraîchement cueillies

50 cl d'eau bouillante

100 à 150 g de sucre

25 cl d'esprit-de-vin (vendu en pharmacie)

5 cl de cognac

Si vous aimez tout ce qui sort de l'ordinaire, essayez ce breuvage extrait d'un très vieux livre de recettes manuscrites. Enlever les tiges des violettes. Mettre les fleurs dans une coupe de porcelaine ou en métal précieux. Verser l'eau bouillante par-dessus. Les fleurs doivent être à peine recouvertes. Couvrir et laisser macérer deux heures. Filtrer cette eau dans une casserole, puis y ajouter le sucre. Faire frémir tout en remuant constamment. Retirer la casserole du feu, puis laisser refroidir. Mélanger avec l'esprit-de-vin et le cognac. Mettre la liqueur de violettes dans une bouteille propre, rincée à l'eau très chaude, puis égouttée. Bien fermer la bouteille et conserver cette liqueur dans un endroit frais et sec.

Liqueur de violette

Love-love

LOVE-LOVE

4 cl de liqueur de chocolat
4 cl d'eau-de-vie de vin
1 cuillerée à dessert bien remplie de glace à la vanille
Crème chantilly

Un cocktail au nom aussi évoquateur qu'un tube du hit-parade et qui ne dément pas son succès.
Mettre tous les ingrédients excepté la crème fraîche, dans le shaker, secouer et verser dans un gobelet. Décorer avec la crème chantilly et servir aussitôt avec une paille.

PAPRIKA COCKTAIL

2 à 3 cubes de glace
1 cl de cognac
1 cl de Grand Marnier
3 cl de curaçao triple sec
Paprika

Ce cocktail réjouira tous ceux qui aiment les boissons fortes.
Mettre la glace dans un shaker. Ajouter le cognac, le Grand Marnier et le curaçao triple sec. Secouer énergiquement. Vider dans un verre à cocktail. Saupoudrer de paprika et servir.

PASHA'S PLEASURE

2 à 3 cubes de glace
2,5 cl de crème fraîche
2,5 cl de liqueur de café
2,5 cl d'eau-de-vie de vin
2,5 cl de vodka

Mettre la glace et tous les ingrédients dans le shaker. Secouer énergiquement et vider dans un grand verre à cocktail. Servir avec une paille.

Peruano flip

PERUANO FLIP

2 à 3 cubes de glace
2,5 cl de crème de moka
2,5 cl de crème fraîche sucrée
5 cl d'eau-de-vie de vin
1 jaune d'œuf
1 pincée de cannelle

Ce drink tient son nom d'une eau-de-vie de vin d'Amérique du Sud, le pisco peruano, qui, au Pérou, est souvent utilisée dans les cocktails.
Mettre la glace et les autres ingrédients dans le shaker. Secouer énergiquement quelques secondes, puis verser le contenu dans une coupe. Saupoudrer d'un peu de cannelle et servir avec une paille.

Pasha's pleasure

PETER TOWER

2 à 3 cubes de glace

3,5 cl d'eau-de-vie de vin

1,5 cl de rhum blanc

2 cuillerées à café de grenadine

2 cuillerées à café de curaçao

2 cuillerées à café de jus de citron

Verser tous les ingrédients dans un verre à mélange. Bien remuer avec une longue cuiller à mélange et servir dans un verre à cocktail.

PILLKALLER

2 cl d'alcool de grain décanté et glacé

1 rondelle de saucisse au foie

Moutarde

On dit ironiquement : «L'homme boit, le cheval s'abreuve – à Pillkaller, c'est le contraire.» Mais, jadis, il en était autrement. On appréciait ce que l'on mangeait et ce que l'on buvait.
Essayez cette façon de boire l'alcool de grain : verser l'alcool de grain dans une petite coupe. Déposer dans le verre la rondelle de saucisse au foie sans la peau. Mettre un peu de moutarde sur le dessus. On peut mettre la rondelle sur la langue, boire l'alcool, puis mâcher la saucisse ou faire l'inverse.

Pillkaller aux cerises

PILLKALLER AUX CERISES

2 cl d'eau-de-vie de vin

2 cerises à cocktail

1 à 2 cuillerées à café de noix de coco râpée

Verser l'eau-de-vie de vin dans une petite coupe. Rouler les cerises dans la noix de coco râpée et les piquer sur un bâtonnet que l'on posera sur le verre.

Pillkaller façon Flenburg

De g. à dr. : Pillkaller Piroschka, Pillkaller Nicolaschka, Pillkaller

PILLKALLER FAÇON FLENSBURG

2 cl d'aquavit glacé

1/2 œuf dur

1 tranche de saumon fumé

1 petit brin de fenouil sauvage

Mettre l'aquavit dans une coupe givrée. Y déposer un demi-œuf sur lequel on mettra une tranche roulée de saumon fumé. Garnir la roulade de saumon avec le fenouil sauvage. On peut boire l'aquavit en gardant le saumon et l'œuf sur la langue, puis mâcher ensuite, ou faire l'inverse.

PILLKALLER NIKOLASCHKA

3 cl d'eau-de-vie de vin

1 rondelle de citron

1/2 cuillerée à café de sucre

1 pincée de café moulu

Verser l'eau-de-vie de vin dans un verre à cognac. Poser une rondelle de citron sur le verre. Mélanger le sucre et le café et déposer ce mélange en un petit tas sur la rondelle. On prend d'abord la rondelle de citron dans la bouche, on la suce avec le mélange café-sucre, puis on se rince la bouche avec l'eau-de-vie de vin.

PILLKALLER PIROSCHKA

2 cl de barack palinka

1 rondelle de saucisson

1 petit oignon blanc

Verser le barack palinka dans une petite coupe. Poser la rondelle de saucisson, dont on aura ôté la peau, sur le verre. Mettre le petit oignon dessus. Piquer un bâtonnet dans la rondelle de saucisson. On met d'abord le saucisson et l'oignon dans la bouche, on les mâche et on boit, ensuite, le barack palinka.

Président Taft's opossum

PRÉSIDENT TAFT'S OPOSSUM

1 cuillerée à café d'angustura

1 cuillerée à café de vinaigre

1 jaune d'œuf

1 trait d'huile d'olive

1 trait de sauce worcestershire

1 à 2 cuillerées à café d'eau-de-vie de vin

1 pincée de paprika doux

1 pincée de sel

1 pincée de piment de Cayenne

Ce drink fait disparaître la gueule de bois avec grand succès. Verser l'angustura dans un verre à vin rouge. Ajouter le vinaigre. Faire délicatement glisser le jaune d'œuf dans le verre. Verser quelques gouttes de sauce worcestershire et d'huile d'olive par-dessus puis l'eau-de-vie de vin. Épicer de paprika, sel et piment de Cayenne. Ne pas mélanger et boire d'une seule traite.

PUNCH À LA ROMAINE

3 à 4 cubes de glace

2,5 cl de cognac

1,5 cl de jus de citron

1 cl de curaçao orange

2 cuillerées à café de sucre

1 cuillerée à café de sirop de framboise

1 trait de rhum

1 cuillerée à dessert de fruits variés de saison

Piler finement la glace. Mélanger tous les ingrédients, mis à part les fruits, et les mettre dans un verre à punch que l'on remplira de glace pilée. Décorer avec les fruits et servir avec une longue cuiller et une paille.

PUNCH ANGLAIS

POUR 6 À 8 PERSONNES

50 cl d'eau-de-vie de vin

25 cl de rhum

25 cl de curaçao

25 cl d'arack

1 litre de thé fort

1 orange coupée en tranches

1 citron coupé en rondelles

Le jus de deux citrons

L'écorce râpée d'une demi-orange

250 g de sucre

Sa composition nous révèle qu'il s'agit là d'un punch corsé, pouvant être servi froid ou chaud. Ne pas se risquer à prendre la route après avoir passé une soirée à siroter ce punch !
Mettre tous les ingrédients dans une casserole et faire frémir. Prenez garde de ne pas faire bouillir pour ne pas faire disparaître l'alcool et l'arôme. Sitôt le sucre dissous, verser le punch dans une terrine ou un saladier. Servir dans des verres à anse.

QUEEN MARY

2 à 3 cubes de glaces

2,5 cl d'eau-de-vie de vin

2,5 cl de Cointreau

1 trait de sirop de fraise

1 trait d'anisette

1 fraise

Vous pourrez servir ce cocktail en digestif, après le dîner. Mettre la glace, l'eau-de-vie de vin, le Cointreau, le sirop de fraise et l'anisette, dans l'ordre indiqué, dans le shaker. Bien secouer et vider dans un verre à cocktail. Décorer avec la fraise. Servir avec bâtonnet et cuiller.

RAY LONG

3 cubes de glaces

2 cl d'eau-de-vie de vin

3 cl de vermouth bianco

4 traits de Pernod

1 trait d'angustura

Mettre la glace, l'eau-de-vie de vin, le vermouth, le Pernod et l'angustura dans un verre à mélange. Bien remuer tous les ingrédients avec une longue cuiller. Verser dans un gobelet moyen et servir aussitôt.

Ray long

SIDECAR

2 à 3 cubes de glace

1,5 cl de jus de citron

1 cl de Cointreau

2,5 cl d'eau-de-vie de vin

1 cerise à cocktail

Mettre la glace, le jus de citron, le Cointreau et l'eau-de-vie de vin dans le shaker. Bien secouer le tout énergiquement quelques secondes, puis vider dans un verre à cocktail. Garnir d'une cerise et servir avec un bâtonnet.

SINK OR SWIM

2 à 3 cubes de glace

4 cl d'eau-de-vie de vin

1 cl de vermouth blanc

1 trait d'angustura

Mettre la glace, l'eau-de-vie de vin, le vermouth et l'angustura dans un verre à mélange. Bien remuer à l'aide d'une longue cuiller à mélange et servir dans un verre à cocktail.

Queen Mary

Side-car

SIR RIDGEWAY KNIGHT

2 à 3 cubes de glace

3 cl d'eau-de-vie de vin

3 cl de curaçao triple sec

3 cl de chartreuse jaune

2 traits d'angustura

Mettre tous les ingrédients dans le shaker. Bien secouer, puis servir dans un grand verre à cocktail ou un verre ballon.

SLEEPY HEAD

4 cl d'eau-de-vie de vin

1 spirale d'écorce d'orange ou 1 cuillerée à café d'écorce râpée

1 à 2 cubes de glace

1 brin de menthe fraîche

Ginger ale bien frais pour remplir le verre

Mettre l'eau-de-vie de vin dans une grande coupe ou un grand gobelet. Ajouter la spirale d'écorce d'orange ou l'écorce râpée, ainsi que les glaçons. Broyer légèrement quatre feuilles de menthe et décorer avec le brin de menthe en le mettant dans le verre. Compléter avec le ginger ale, puis servir avec une paille et une cuiller.

SMILING ESTHER

2 à 3 cubes de glace

2,5 cl de jus d'orange

5 cl de sabra

2,5 cl d'eau-de-vie de vin

1 à 2 gros cubes de glace

L'ingrédient essentiel de ce cocktail au joli nom hébraïque, Esther, vient d'Israël : il s'agit du sabra qui est une liqueur à l'arôme d'orange et de chocolat. Son degré d'alcool est de 30%. Mettre la glace, le jus d'orange, le sabra et l'eau-de-vie de vin dans le shaker. Secouer énergiquement quelques secondes. Puis, verser le contenu du shaker dans un petit gobelet et ajouter un ou deux cubes de glace. Servir avec une paille.

SPRINT

2 à 3 cubes de glace

1,5 cl d'eau-de-vie de vin

1,5 cl de rhum

1 cl de liqueur de moka

1 cl de liqueur aux œufs

1 pincée de noix de muscade râpée.

Le Sprint qui est un digestif à base d'eau-de-vie de vin terminera avec succès un repas de fête.
Mettre tous les ingrédients, excepté la noix de muscade râpée, dans le shaker. Secouer énergiquement quelques secondes, puis servir dans un verre à cocktail. Saupoudrer d'un peu de noix de muscade.

Sprint

Smiling Esther

STAR COCKTAIL

2 à 3 cubes de glace

3 cl de calvados

2 cl de vermouth dry français

1 trait d'angustura

1 zeste de citron,

1 olive

Il est conseillé de servir ce cocktail en apéritif, avant le dîner. Mettre la glace, le calvados, le vermouth et l'angustura dans un verre à mélange. Bien remuer tous les ingrédients à l'aide d'une longue cuiller, puis vider dans un verre à cocktail. Aromatiser de quelques gouttes d'essence de citron en pressant le zeste entre le pouce et l'index. Mettre l'olive dans le verre et servir avec un bâtonnet.

SVENSKA FAN

3 cubes de glace

1,5 cl de gin

1,5 cl d'eau-de-vie de vin

1,5 cl de cherry brandy

1 doigt d'orange bitter

1 écorce d'orange

Bien mélanger la glace avec le gin, l'eau-de-vie, le cherry brandy et l'orange bitter dans un grand verre. Verser le mélange dans un verre à cocktail et asperger avec l'écorce d'orange.

TANTALUS COCKTAIL

2 à 3 cubes de glace

1,5 cl de jus de citron

2 cl de Forbidden-Fruit liqueur

1,5 cl de cognac

Mettre la glace, le jus de citron, la liqueur et le cognac

Tantalus cocktail

dans le shaker. Secouer énergiquement quelques secondes, puis vider dans un verre à cocktail. Servir avec une paille.

T.E.E.

4 à 6 cubes de glace

1 cl de Campari

1,5 cl de cognac

1,5 cl de liqueur de pêche

1 cl de whisky

Mettre la moitié de la glace dans un verre à cocktail, et le reste dans le shaker avec tous les autres ingrédients. Secouer énergiquement. Remuer la glace qui se trouve dans le verre à cocktail jusqu'à ce que le verre se couvre de buée. Jeter la glace qui reste avec l'eau fondue, puis verser le contenu du shaker dans le verre givré.

Star cocktail

28

T.E.E.

Retenez bien cette recette pour vos réceptions de l'été prochain : vos convives apprécieront la fraîcheur et l'originalité de ce cocktail. Couper les bananes en rondelles très fines. Les laisser macérer deux à trois heures dans un plat couvert, avec le jus de citron vert, l'arack, l'eau-de-vie de vin et le jus de raisin. Avant de servir, compléter avec le mousseux ; à offrir bien frais.

WASHINGTON COCKTAIL

2 à 3 cubes de glace

1,5 cl de vermouth dry français

3,5 cl d'eau-de-vie de vin

1/2 cuillerée à café de sirop de sucre ou de grenadine

2 traits d'angustura

Mettre la glace et tous les ingrédients dans un verre à mélange, remuer avec une longue cuiller, puis servir dans un verre à cocktail.

ZOOM

2 à 3 cubes de glace

4 cl d'eau-de-vie de vin

1,5 cl de miel

2 cl de crème fraîche

Mettre tous les ingrédients dans le shaker, secouer énergiquement quelques secondes, puis vider le contenu du shaker dans un verre à cocktail ou à vin.

TOUS LES GARÇONS

2 à 3 cubes de glace

1,5 cl de vermouth dry français

1,5 cl d'eau-de-vie de vin

1,5 cl de crème de cacao

1 trait d'orange bitter

Il est conseillé de servir ce drink après le repas. Mettre la glace et tous les ingrédients dans le shaker, bien secouer, puis servir dans un verre à cocktail.

VIN AROMATISÉ À LA BANANE

POUR 6 À 8 PERSONNES

3 à 4 bananes

2 cuillerées à café d'arack

1/2 bouteille d'eau-de-vie de vin

1 bouteille de jus de raisin

2 bouteilles de mousseux ou de champagne

Vin aromatisé à la banane

ALASKA

2 cubes de glace

1,5 cl de chartreuse jaune

3,5 cl de gin

Piler la glace et la mettre dans le shaker. Verser la chartreuse et le gin également dans le shaker et mélanger. Servir dans un verre à cocktail. Si on préfère un cocktail plus doux, on prendra 3 cl de gin et 2 cl de chartreuse.

ALEXANDRA

2 cl de gin

2 cl de crème de cacao blanche

4 cl de lait en conserve

Bien mélanger tous les ingrédients ensemble. Servir très frais dans une coupe avec une paille.

ANGEL'S FACE

2 cubes de glace

2 cl de gin

2 cl d'abricot brandy

1 cl de calvados

Piler la glace et la mettre dans le shaker avec les ingrédients. Bien secouer. Servir dans un verre à cocktail en retenant la glace.

Alaska

BARFLY'S DREAM COCKTAIL

2 cubes de glace

1,5 cl de jus d'ananas

1,5 cl de gin

1,5 cl de rhum

1 cuillerée à dessert de morceaux d'ananas en boîte

Piler la glace et la mettre dans le shaker. Puis remplir le shaker avec les autres ingrédients, à l'exception des morceaux d'ananas. Secouer fortement et vider dans un verre à cocktail. Décorer avec les morceaux d'ananas. Planter un bâtonnet dans un fruit et servir.

BEAU RIVAGE

2 cubes de glace

1,5 cl de rhum blanc

1,5 cl de gin

1 cuillerée à café de vermouth dry

1 cuillerée à café de vermouth rouge

1 cuillerée à café de grenadine

1 cuillerée à café de jus d'orange sans pulpe

Piler la glace et la mettre dans le shaker. Verser tous les ingrédients sur la glace et secouer fortement. Servir dans un verre à cocktail ou un verre ballon.

BEAUTIFUL

2 cubes de glace

1,5 cl de vermouth dry

1 cl de rhum blanc

1 cl de gin

2 cuillerées à café de grenadine

1 cl de jus d'orange

1 rondelle d'orange

Piler la glace et la mettre dans le shaker. Verser tous les ingrédients, à l'exception de la rondelle d'orange, sur la glace, bien secouer et servir dans un verre à cocktail. Décorer avec la rondelle d'orange en la fixant sur le rebord du verre.

Angel's face

BASE DE GIN

Barfly's dream cocktail

sucre. Remettre le verre à l'endroit et laisser sécher. Secouer un shaker contenant le jus de citron, le curaçao, le gin et le sirop de sucre ; vider le mélange dans le verre givré et ajouter du mousseux à volonté.

BLUE LADY

2 cubes de glace

1 cl de curaçao bleu

2 cl de jus de citron

2 cl de gin

1 cerise à cocktail

Le cocktail des médiums. Piler finement la glace et la mettre dans le shaker. Ajouter le curaçao, le jus de citron et le gin. Secouer le tout fortement et servir dans un verre à cocktail ou un verre à pied. Pour finir, décorer avec la cerise.

BITTER LEMON GIN

3 cubes de glace

3 cl de gin

Bitter lemon

Les boissons amères sont très appréciées sans, toutefois, être du goût de tout le monde. Soyez donc prudent, la première fois, en versant le bitter lemon.
Mettre les glaçons dans une coupe, verser le gin au-dessus et, selon le goût, compléter avec le bitter lemon. Servir avec une paille.

BLACKSTONE

3,5 cl de xérès dry

1,5 cl de gin

1 trait d'angustura bitter

Un apéritif à déguster de temps en temps… et pas uniquement quand on a des invités.
Passer les ingrédients au mixer sans mettre de glace et servir dans un verre à cocktail.

BLUE BOY

Le jus d'un demi-citron

2 cuillerées à dessert de sucre

2 cl de jus de citron

2 cl de curaçao bleu

2 cl de gin

1 cuillerée à café de sirop de sucre

1/2 bouteille de mousseux

Préparer d'abord le givrage des verres : remplir une sous-tasse avec le sucre et une autre avec le jus de citron. Plonger le bord d'une grande coupe en verre d'abord dans le jus de citron, laisser égoutter un peu, puis plonger le bord de la coupe dans le

CHARLESTON

2 à 3 cubes de glace

1 cl de dry gin

1 cuillerée à café de kirsch

1 cl de marasquin

1 cuillerée à café de curaçao

1 cl de vermouth dry

1 cl de vermouth blanc

1 zeste de citron

Déposer les glaçons dans un verre à mélange.
Ajouter le gin, le kirsch, le marasquin, le curaçao et le vermouth. Bien remuer tous les ingrédients avec une cuiller à mélange et servir dans un verre à cocktail. Asperger de gouttes de zeste de citron.

CHARLIE CHAPLIN

2 à 3 cubes de glace

1 cl d'abricot brandy

2 cl de jus de citron

2 cl de gin

1 cerise à cocktail

Cette boisson fait partie des cocktails légers.
Vous pourrez donc la servir à toute heure comme un rafraîchissement.
Bien secouer le shaker dans lequel on aura mis la glace et tous les ingrédients. Mettre la cerise dans une coupe à cocktail et verser le cocktail par-dessus.

Charlie Chaplin

CHARME DES FORÊTS

2 à 3 cubes de glace

1,5 cl de liqueur de framboise

1 cl de gin

2,5 cl de liqueur de mûre

Mettre la glace, la liqueur de framboise, le gin et la liqueur de mûre dans un gobelet moyen. Remuer avec une longue cuiller, puis servir.

COCKTAIL BIJOU

2 cubes de glace

1,5 cl de gin

1,5 cl de chartreuse verte

1,5 cl de vermouth rouge

1 doigt de bitter orange

1 olive verte dénoyautée

1 zeste de citron

Mettre la glace, la chartreuse, le vermouth, le gin et le bitter orange dans une coupe et bien remuer.
Verser le drink dans un verre à cocktail. Planter un bâtonnet dans l'olive et la mettre dans le verre. Arroser en pressant sur le zeste de citron.

Cooperstown

COOPERSTOWN

2 à 3 cubes de glace

2 cl de dry gin

1,5 cl de vermouth dry

1,5 cl de vermouth blanc

1 branche de menthe

Mettre la glace, le gin et le vermouth dans un verre et bien mélanger. Servir dans un verre à cocktail en retenant la glace. Décorer avec la feuille de menthe.

Delhi gin sling

DELHI GIN SLING

3 cubes de glace

3 cl de liqueur de cerise

6 cl de gin

3 cl de sirop de mangue

1 trait de bénédictine

Eau de Seltz

1 cerise à cocktail

Ce nom exotique cache une boisson rare.
Mettre la glace dans une timbale ou une coupe et verser, par-dessus, la liqueur de cerise, le gin et le sirop de mangue. Bien remuer, arroser de bénédictine et remplir d'eau de Seltz. Décorer avec la cerise et servir avec une paille.

DOUGLAS COCKTAIL

1 cube de glace

2 traits d'angustura

2 cl de grenadine

2 cl de gin

1 olive

Déposer tous les ingrédients, excepté l'olive, dans un verre à mélange. Vider dans un verre à cocktail et décorer avec l'olive. Servir avec des bâtonnets à cocktail.

Dubonnet cocktail

DUBONNET COCKTAIL

2 à 3 cubes de glace

2,5 cl de gin

2,5 cl de Dubonnet

Le zeste d'un citron

La boisson idéale pour les heures passées devant la cheminée.
Mettre la glace, le Dubonnet et le gin dans le verre à mélange et bien remuer. Servir dans un verre à cocktail et asperger quelques gouttes de citron à partir du zeste.

EMPIRE

2 à 3 cubes de glace

2,5 cl de dry gin

1,2 cl de calvados

1,2 cl d'abricot brandy

Quelques cerises pour décorer

Ce cocktail fait partie des before-dinner-cocktails que vous vous devez, en tant qu'hôte, d'essayer absolument.
Mettre la glace avec le dry gin, le calvados et l'abricot brandy dans un verre à mélange. Bien remuer. Servir dans un verre à cocktail avec quelques cerises et un bâtonnet à cocktail. Il existe encore une autre version de cette recette : remplacer le calvados par la même quantité de cognac.

FRENCH COCKTAIL

1 cube de glace

3 cl de gin

2 cl de Pernod

1 cuillerée à café de grenadine

Le gin constitue une base idéale pour les cocktails, car il se marie bien avec les différents ingrédients. Mettre la glace dans le shaker. Verser tous les autres ingrédients par-dessus. Secouer brièvement et servir dans un verre à cocktail.

FROZEN CARUSO COCKTAIL

4 à 5 cubes de glace

1,5 cl de gin

1,5 cl de vermouth dry

1,5 cl de crème de menthe

Piler grossièrement la glace, la mettre dans un shaker avec tous les ingrédients et secouer fortement. Verser dans un petit gobelet et servir avec une paille.

GEISHA

Le jus d'un demi-citron

2 cuillerées à dessert de sucre

2 à 3 cubes de glace

1,7 cl de vermouth blanc

1,7 cl de cherry brandy

1,7 cl de gin

1/4 de rondelle d'ananas en conserve

Mettre dans deux soucoupes différentes, d'une part le jus de citron et, d'autre part, le sucre. Passer le bord du verre d'abord dans le jus de citron, laisser un peu sécher, puis le passer dans le sucre.
Remettre le verre à l'endroit et laisser sécher. Pendant ce temps, piler la glace. La mettre dans le shaker avec le vermouth, le cherry brandy et le gin. Secouer brièvement. Vider le cocktail dans le verre givré. Décorer avec une tranche ou un petit morceau d'ananas et servir avec une paille et une cuiller.

French cocktail

GIN FIZZ

2 à 3 cubes de glace

Le jus d'un citron

2 cuillerées à café de sirop de sucre

3 cl de gin

Eau de Seltz

Les inventeurs du Gin fizz, deux barmen français, ont ramassé une petite fortune en s'appliquant à préparer cette boisson. L'essentiel, en effet, dans le Gin fizz, c'est d'abord la façon de le secouer. Piler la glace et la mettre dans le shaker. Verser dessus d'abord le jus de citron, puis le sirop de sucre et le gin. Envelopper le shaker dans une serviette afin d'éviter que la chaleur des mains n'ait un effet négatif sur le mélange. En fait, le shaker doit être légèrement embué. C'est pourquoi secouer une à deux minutes suffira à créer la buée sur le shaker. Vider le fizz dans un grand verre et compléter avec l'eau de Seltz jusqu'à mi-hauteur environ. Servir avec une paille.

Geisha

GIN OYSTER

1 cuillerée à café de gin

1 jaune d'œuf

2 cuillerées à café de ketchup

1 trait de worcestershire sauce

1 trait de jus de citron

1 pincée de sel, de poivre, de paprika et de noix muscade râpée

Le Gin oyster est une boisson forte, très efficace les lendemains de fête. Verser d'abord le gin dans une coupe à cocktail, poser le jaune d'œuf par-dessus et l'entourer de ketchup. Ajouter la worcestershire sauce et le jus de citron passé et saupoudrer le Gin oyster avec les autres épices. Servir avec une cuiller.

Frozen Caruso cocktail

35

Gin punch (haut gauche), Gin fizz (haut droit), Gin oyster (premier plan)

GIN PUNCH

3 cubes de glace

Le jus d'un demi-citron

2 cuillerées à café de sucre

2 traits de marasquin

4 cl de gin

1 cuillerée à dessert de cerises à cocktail

1 cuillerée à dessert de morceaux d'ananas en conserve

Râper finement la glace. En remplir un gobelet jusqu'à une bonne moitié. Verser les liquides, remuer un peu et décorer avec les fruits. Servir avec une paille et une cuiller.

GOLDEN COCKTAIL

2 à 3 cubes de glace

1 cuillerée à café de grenadine

1 cuillerée à café de curaçao blanc

2 cl de vermouth rosso

2 cl de gin

1 cerise

Mettre la glace dans le shaker. Ajouter la grenadine, le curaçao, le vermouth et le gin. Secouer brièvement mais énergiquement. Vider dans un verre à cocktail, décorer avec la cerise et servir avec un bâtonnet.

GREEN FIZZ

4 à 5 cubes de glace

1 blanc d'œuf

2 cuillerées à café de sirop de sucre

Le jus d'un citron

5 cl de gin

1 cuillerée à café de crème de menthe verte

Eau de Seltz

Le Green fizz est le roi incontesté du long drink et il suffit de lui supprimer ou de lui ajouter un autre ingrédient pour qu'il change de nom. En effet, si on supprime la crème de menthe, on obtient un «Silver fizz». Mais si on ajoute 2 cl de crème fraîche, il devient un «New Orleans fizz». En outre, le «Silver fizz» devient un «Pink Lady fizz» si on utilise à la place du sirop de sucre la même dose de grenadine.

Piler la glace et la mettre dans le shaker. Ajouter le blanc d'œuf, le sirop de sucre et le jus de citron. Envelopper le shaker dans une serviette et secouer pendant deux minutes. Ajouter le gin et la crème de menthe verte, secouer encore une fois brièvement et verser dans un gobelet. Compléter avec l'eau de Seltz.

Golden fizz

GOLDEN FIZZ

2 à 3 cubes de glace

1 jaune d'œuf

Le jus d'un citron

1 à 2 cuillerées à café de sucre en poudre

1 à 2 cuillerées à café de grenadine

5 cl de gin

Eau de Seltz

Comme tous les fizz, ce drink doit être servi glacé. Piler grossièrement la glace et la mettre dans le shaker. Ajouter le jaune d'œuf, le jus de citron, le sucre en poudre, la grenadine et le gin. Envelopper le shaker dans une serviette et secouer fortement un bon moment. Vider dans un grand verre et compléter avec l'eau de Seltz. Servir avec une paille.

De gauche à droite: Green fizz et Green hat

Harry's dry Jumbo

GREEN HAT

2 à 3 cubes de glace

2,5 cl de gin

2,5 cl de crème de menthe verte

Eau de Seltz

Mettre la glace dans un grand gobelet ou une grande coupe. Ajouter le gin et la crème de menthe, puis compléter avec l'eau de Seltz. Servir avec une paille.

HARRY'S DRY JUMBO

2 à 3 cubes de glace

1 cuillerée à café de cynar

2 cuillerées à café de rosso antico

2,5 cl de vodka

5 cl de gin

Si vous voulez vous offrir un petit plaisir, alors préparez-vous ce drink. Mettre la glace, le cynar, le rosso antico, la vodka et le gin dans un verre à mélange. Bien remuer le tout et servir dans un petit gobelet.

On peut remplacer les deux ou trois glaçons par un seul gros glaçon.

HAVANE

2 à 3 cubes de glace

2 traits de jus de citron

1,2 cl de gin

1,2 cl de punch suédois

2,5 cl d'abricot brandy

1 cerise à cocktail

Mettre tous les ingrédients dans le shaker. Secouer fortement et servir dans un verre à cocktail. Décorer avec la cerise.

HAWAÏ-KISS

POUR 2 PERSONNES

1 ananas frais

2 cl de gin

2 cubes de glace

Vin mousseux

Évider le fruit, presser le jus et le verser dans la coque de l'ananas. Ajouter le gin et les glaçons, remplir de vin mousseux. Servir avec une paille.

HIGHBALL FRAMBOISE

2 à 3 cubes de glace

2 cl de gin

1 cl de sirop de framboise

1 cuillerée à café de jus de citron passé

Eau de Seltz

L'attrait tout à fait particulier de ce long drink rafraîchissant réside dans son arôme de framboise. Mettre la glace dans un grand gobelet. Verser tous les ingrédients par-dessus, remuer et compléter à volonté avec l'eau de Seltz. Servir avec une paille.

Highball framboise

38

Island highball

ICE-CREAM-SODA CHEERIO

2 cl de sirop d'orange

2 cl de gin

1 cuillerée à dessert bien pleine
de glace à la vanille

2 cl de lait en conserve

Eau de Seltz

1 cuillerée à dessert bien
remplie de glace à l'orange

2 cuillerées à dessert de crème
chantilly

1 grande rondelle d'orange

Mettre d'abord le sirop et le
gin dans le verre, puis la première portion de glace et le
lait en conserve. Remplir le
verre d'eau de Seltz, ajouter la
seconde portion de glace et
décorer avec la crème chantilly et les fruits.

ISLAND HIGHBALL

2 cubes de glace

1 cl d'eau-de-vie de vin

1 cl de gin

1 cl de vermouth rosso

1 trait d'orange bitter

Eau de Seltz

Mettre la glace dans un gobelet, verser les autres ingrédients par-dessus et compléter avec l'eau de Seltz à
volonté. Servir avec une
paille.

JEUNE HOMME

1 à 2 cubes de glace

1 cl de Cointreau

1 cl de bénédictine

1 cl de gin

2 cl de vermouth dry

1 trait d'angustura

Les compositions de cocktails
sont innombrables. C'est
celle-ci que les jeunes
Français ont choisie.
Mettre la glace dans le shaker,
verser tous les autres ingrédients par-dessus, secouer
fortement quelques secondes
et servir dans un verre à cocktail. Accompagner de biscuits
apéritif et d'olives.

Kiku kiku

KIKU KIKU

2 cubes de glace

6 cl de vin de riz

1 cl de gin

3 cl de jus d'ananas

Voici un mélange un peu osé
qui nous vient d'Extrême-
Orient et que l'on sert dans
un verre à pied aux bords éva-
sés. Râper finement la glace
et en remplir le verre aux trois
quarts. Verser les autres ingrédients par-dessus et mélanger
délicatement. Servir avec une
paille.

LITTLE DEVIL

2 à 3 cubes de glace

1 cl de jus de citron

1 cl de Cointreau

1,5 cl de gin

1,5 cl de rhum blanc

Si vous avez déjà
bu ce cocktail, alors
vous savez bien
pourquoi il s'appel-
le «little devil»
(petit diable)!
Mettre la glace et
tous les ingrédients
dans le shaker et frapper.
Servir dans un verre à cocktail
avec une paille.

Little devil

MAGNOLIA BLOSSOM

2 à 3 cubes de glace

2,5 cl de gin

1,5 cl de crème fraîche

1 cl de jus de citron

2 traits de sirop de grenadine

Mettre la glace et tous les ingrédients dans le shaker. Secouer quelques secondes énergiquement. Servir aussitôt dans un verre à cocktail.

MARTINI DRY

2 à 3 cubes de glace

0,5 cl de vermouth dry français

4 cl de gin

2 traits d'orange bitter

1 olive verte

Le Martini tiède a un goût abominable. Beaucoup le servent «on the rocks», mais les glaçons risquent d'affadir le goût de ce bon cocktail. Alors voici la façon de préparer le Martini dry : mettre la glace, le vermouth dry, le gin et l'orange bitter dans un verre à mélange. Bien remuer le tout et servir dans un verre à cocktail. Garnir d'une olive.

MARTINI MEDIUM

2 à 3 cubes de glace

1 cl de vermouth dry français

1 cl de vermouth rosso

3 cl de gin

1 écorce d'orange

Magnolia blossom

Mettre la glace, le vermouth dry, le vermouth rosso et le gin dans un verre à mélange. Bien remuer et servir dans un verre à cocktail. Garnir d'une écorce d'orange.

MARTINI ON THE ROCKS

2 à 3 cubes de glace

5 cl de dry gin

1 trait de vermouth extra dry

1 rondelle de citron

Mettre la glace dans un petit gobelet. Ajouter le gin et le vermouth et garnir d'une rondelle de citron.

MARTINI ORANGE

POUR 6 PERSONNES

20 cl de dry gin

12 cl de vermouth dry français

8 cl de vermouth bianco

Écorce d'une orange

4 à 6 cubes de glace

1 cuillerée à café d'orange bitter

Le Martini orange sera idéal pour commencer l'une de vos prochaines réceptions. Il conviendra aussi très bien comme apéritif.
Mélanger le gin et le vermouth. Ajouter l'écorce d'orange, couvrir et laisser macérer deux heures. Retirer l'écorce. Mettre la glace, le mélange gin-vermouth et l'orange bitter dans le shaker. Secouer énergiquement et servir dans les verres à cocktail.

MARTINI SWEET

2 à 3 cubes de glace

1 cuillerée à café de sirop de sucre ou de grenadine

1,5 cl de vermouth rosso

3,5 cl de gin

1 cerise à cocktail

Mettre la glace, le sirop de sucre ou la grenadine, le vermouth et le gin dans un verre à mélange. Bien remuer et vider dans un verre à cocktail. Garnir d'une cerise et servir avec un bâtonnet.

De gauche à droite: Martini on the rocks, Martini sweet, Martini very dry, Martini medium

Merry widow

MARTINI VERY DRY

2 à 3 cubes de glace

2 traits de vermouth dry français

5 cl de gin

1 trait de jus de citron

1 olive verte

Mettre la glace, le vermouth dry, le gin et le jus de citron dans un verre à mélange. Bien remuer et servir dans un verre à cocktail en retenant les glaçons. Mettre une olive dans le verre.

MERRY WIDOW 1

2 à 3 cubes de glace

2,5 cl de dry gin

2,5 cl de vermouth dry français

2 traits de bénédictine

2 traits de Pernod

1 trait de peach bitter

1 petit zeste de citron

Parmi les recettes de cocktails, on trouve un nombre étonnant de «Merry widows» ou de «Veuves joyeuses», tout au moins parmi les recettes internationales. En voici un. On en trouvera un autre dans le chapitre consacré aux liqueurs et vermouth. Mettre la glace et tous les ingrédients, excepté le zeste de citron, dans un verre à mélange. Bien remuer avec une longue cuiller. Servir dans un verre à cocktail. Déposer un petit zeste de citron dans le verre.

MISS WHIFF

4 cubes de glace

2 cl de jus de citron

1 cl de Pernod

4 cl de gin

1 cl de crème de menthe verte

2 cuillerées à café de sirop de sucre

Eau de Seltz pour remplir le verre

1 brin de menthe

Miss Whiff a un penchant pour les juleps. C'est pourquoi son long drink ne devra manquer ni de liqueur de

Mont Blanc

menthe ni d'une feuille fraîche de menthe verte. Mettre la glace dans un grand gobelet et ajouter les ingrédients les uns après les autres. Remuer avec une longue cuiller. Compléter avec l'eau de Seltz et décorer avec le brin de menthe. Servir avec une paille.

Mule hind leg

MONT BLANC

2 à 3 cubes de glace

1,5 cl de gin

1,5 cl de Cointreau

1,5 cl de crème fraîche sucrée

1 cuillerée à café de sucre

Mettre la glace et tous les ingrédients dans le shaker et secouer énergiquement quelques secondes. Servir dans un verre à cocktail avec une paille.

MULE HIND LEG

2 à 3 cubes de glace

1 cl de dry gin

1 cl de calvados

1 cl de bénédictine

2 cuillerées à café de sirop d'érable

1 cl de liqueur d'abricot

Aussi délicieux que puisse être ce cocktail, son nom indique cependant qu'il ne faut pas trop en abuser sous peine de se sentir aussi mal qu'après avoir reçu un coup de pied de mulet.
Mettre la glace et tous les ingrédients dans le verre à mélange, bien remuer et servir dans un verre à cocktail.

MULET

2,5 cl de jus de citron

2,5 cl de gin

Bière blonde

Verser le jus de citron et le gin dans un verre à bière et compléter avec la bière blonde. Le Mulet a, en outre, un frère, une sorte de vin aromatisé ou de punch froid : saupoudrer deux tranches de pain noir grillées de poudre de muscade, émietter, et verser trois litres de bière blonde et une bouteille de vin blanc par-dessus. Ajouter 300 grammes de sucre et deux citrons coupés en rondelles. Laisser macérer une nuit, puis passer et servir froid.

NAPOLÉON

2 à 3 cubes de glace

1 cuillerée à café de sirop de sucre

3 traits de jus de citron

2,5 cl de gin

2,5 cl de whisky

1 spirale de zeste de citron

New Orleans fizz

Mettre la glace et tous les ingrédients dans le verre à mélange. Remuer avec une longue cuiller. Servir la boisson dans un verre à pied et garnir d'une spirale de zeste de citron.

NEW ORLEANS FIZZ

3 à 4 cubes de glace

1 blanc d'œuf

2 cuillerées à café de sirop de sucre

2,5 cl de jus de citron

5 cl de dry gin

2 cuillerées à café de crème fraîche

Eau de Seltz

Comme pour tous les fizz, il est important de servir ce drink glacé aussitôt préparé. Vous aurez droit, alors, aux applaudissements unanimes de vos invités.
Concasser la glace en petits morceaux. La mettre dans le shaker avec le blanc d'œuf, le sirop de sucre et le jus de citron. Remuer puis ajouter le gin et la crème fraîche. Envelopper le shaker dans une serviette et agiter énergiquement quelques secondes. Verser le contenu dans un gobelet moyen. Compléter avec l'eau de Seltz. Servir aussitôt avec une paille.

NÉGRONI

3 cubes de glace

2 cl de gin

2 cuillerées à café de Campari

2 cuillerées à café de vermouth rouge

1 tranche d'orange

Mettre la glace dans un grand verre. Verser le gin, le vermouth et le Campari par-dessus et compléter avec l'eau de Seltz. Ajouter la tranche d'orange et servir avec une paille.

NODDY

2 cubes de glace

2,5 cl de gin

1,5 cl de bourbon

1 cl de Pernod

Voici un after-dinner-cocktail dont la teneur en alcool exige qu'on le consomme avec une certaine modération.
Piler la glace et la mettre dans le shaker. Verser tous les ingrédients par-dessus, secouer et servir dans un verre à cocktail.

Négroni

OLIVETTE

2 à 3 cubes de glace

5 cl de dry gin

2 traits de sirop de sucre

2 traits d'orange bitter

1 spirale de zeste de citron

1 olive verte farcie

Mettre la glace, le gin, le sirop de sucre et l'orange bitter dans un verre à mélange. Bien remuer et vider dans un verre à cocktail. Servir avec un bâtonnet pour l'olive.
Il existe une autre version intéressante : ajouter 2 cl de Pernod et 3 cl de gin pour le cocktail. La préparation reste la même.

ONE EXCITING NIGHT

Le jus d'un demi-citron

2 cuillerées à dessert de sucre en poudre

2 à 3 cubes de glace

1,5 cl de dry gin

1,5 cl de vermouth dry français

1,5 cl de vermouth bianco

1 cuillerée à café de jus d'orange

1 spirale de zeste de citron

Pour le givrage du verre, mettre le sucre en poudre dans une soucoupe et le jus de citron dans une autre. Retourner un verre à cocktail et tremper le bord dans le jus de citron, puis dans le sucre après avoir laissé égoutter quelques secondes. Remettre le verre à l'endroit et laisser sécher.

One exciting night

Mettre la glace, le gin, le vermouth et le jus d'orange dans le shaker. Secouer énergiquement quelques secondes, puis servir dans le verre givré. Décorer avec la spirale de zeste de citron.

OPÉRA

2 à 3 cubes de glace

1 cl de Dubonnet

1 cl de liqueur de mandarine

3 cl de gin

1 petite écorce d'orange

1 kumquat éventuellement

Mettre la glace et tous les ingrédients dans le shaker. Secouer énergiquement. Vider le contenu dans un verre à cocktail. Selon le goût, on peut encore ajouter un kumquat, éventuellement. Il faudra, alors, servir avec une cuiller.

ORANGE BLOOM

2 à 3 cubes de glace

3 cl de gin

1 cl de vermouth bianco

1 cl de Cointreau

1 cerise à cocktail

Ce cocktail à base de gin avec son doux arôme d'orange, plaira certainement aux femmes.
Mettre la glace, le gin, le vermouth et le Cointreau dans un verre à mélange. Bien remuer avec une cuiller à mélange, puis vider dans un verre à cocktail. Garnir d'une cerise et servir avec un bâtonnet.

Opéra

PAGE COURT

2 à 3 cubes de glace

1 trait de peach bitter

5 cl de jus d'orange

1,5 cl de rhum blanc

1,5 cl de gin

1,5 cl de whisky canadien

Ce drink constitue un rafraîchissement tonifiant, pris entre les repas. Mettre la glace, le peach bitter, le jus d'orange, le rhum, le gin et le whisky dans le shaker. Bien secouer et servir dans un grand verre à cocktail.

PANTHER'S SWEAT

2 à 3 cubes de glace

1 trait d'angustura

2 traits de jus de citron

2 traits de curaçao triple sec

2,5 cl de vermouth dry

2,5 cl de gin

Mettre la glace et tous les ingrédients dans le shaker. Secouer énergiquement et servir dans un grand verre à cocktail.

PAUSE PROGRAMME

2 à 3 cubes de glace

2 cl de vermouth dry français

2 cl de Fernet branca

1 cl de dry gin

1 cerise à cocktail

Ce cocktail est aussi très conseillé en apéritif, avant le dîner.
Mettre la glace, le vermouth dry, le Fernet branca et le gin dans le shaker. Secouer énergiquement quelques secondes, puis vider dans un verre à cocktail. Garnir d'une cerise et servir avec un bâtonnet.

46

PETER PAN

2 à 3 cubes de glace

1,5 cl de dry gin

1,5 cl de vermouth dry français

1 cl de jus d'orange

1 cl de peach bitter

Mettre la glace et tous les ingrédients dans le shaker. Secouer énergiquement quelques secondes et vider dans un verre à cocktail.

PINK GIN

3 à 4 cubes de glace

3 traits d'angustura

5 cl de gin

Mettre la glace et les autres ingrédients dans un verre à mélange. Remuer avec une longue cuiller et servir dans un verre à cocktail.

PINK LADY FIZZ

2 à 3 petits cubes de glace

1 blanc d'œuf

2 cuillerées à café de grenadine

2,5 à 5 cl de jus de citron

5 cl de dry gin

Eau de Seltz

Mettre, dans l'ordre indiqué, tous les ingrédients dans le shaker, sauf l'eau de Seltz. Envelopper le shaker dans une serviette et secouer énergiquement au moins une à deux minutes. Verser le contenu dans un gobelet moyen et compléter avec l'eau de Seltz. Servir avec une paille.

PINKY COCKTAIL

2 à 3 cubes de glace

4 cl de dry gin

1 cl de grenadine

1/2 blanc d'œuf

Piler grossièrement la glace et la mettre dans le shaker. Ajouter tous les autres ingrédients. Bien secouer et servir aussitôt dans un grand verre à cocktail.

Queen Elisabeth

QUEEN ELISABETH

2 à 3 cubes de glaces

2,5 cl de gin

1,5 cl de jus de citron

1 cl de Cointreau

1 trait de Pernod

1 cerise à cocktail avec la queue

Ce drink rafraîchissant est une autre version du White Lady.
Mettre la glace, le gin, le jus de citron, le Cointreau et le Pernod dans le shaker. Bien secouer et vider dans un verre à cocktail. Décorer avec la cerise et servir avec un bâtonnet.

Orange bloom

QUEEN'S COCKTAIL

2 cuillerées à dessert de morceaux d'ananas

2 à 3 cubes de glace

2,5 cl de dry gin

1,5 cl de vermouth bianco

1 cl de vermouth dry français

Mettre les morceaux d'ananas dans un verre à mélange et les écraser un peu à l'aide d'une longue cuiller. Ajouter la glace, le gin, le vermouth bianco et le vermouth dry. Bien remuer le tout. Verser le contenu dans un verre à cocktail.

QUO VADIS COCKTAIL

2 à 3 cubes de glace

2,5 cl de dry gin

2,5 cl de Chartreuse verte

1 trait de bénédictine,

1 trait de liqueur d'orange

1 olive

Mettre la glace, le gin, la Chartreuse verte, la bénédictine et la liqueur d'orange dans le shaker. Secouer énergiquement quelques secondes. Servir dans un verre à cocktail et garnir d'une olive.

Ramona cocktail

Quo vadis

RAMONA COCKTAIL

2 à 3 cubes de glace

2,5 cl de dry gin

2,5 cl de jus de citron

2 traits de grenadine

Quelques feuilles de menthe hachées grossièrement

Qui donc ne se souvient pas du tube «Ramona»? Peut-être ce drink deviendra-t-il votre «tube préféré»?
Mettre tous les ingrédients, dans l'ordre indiqué, dans le shaker. Bien secouer et servir dans un verre à cocktail.

RED KISS

2 à 3 cubes de glace

3 cl de vermouth dry français

1 cl de gin

1 cl de cherry brandy

1 spirale de zeste de citron

Le Baiser rouge – en français – sera certainement un apéritif apprécié.
Mettre la glace, le vermouth, le gin et le cherry brandy dans un verre à mélange et bien remuer le tout avec une longue cuiller. Servir dans un verre à cocktail, garnir de la spirale de zeste de citron.

Rolls Royce

ROYAL FIZZ

2 à 3 cubes de glace

4 cl de gin

4 cl de framboise

Le jus d'une orange

Le jus de deux citrons verts

Eau de Seltz

Mettre la glace et tous les ingrédients, excepté l'eau de Seltz, dans le shaker. Secouer énergiquement quelques secondes. Servir dans un grand gobelet. Compléter avec l'eau de Seltz.

Royal fizz

ROLLS ROYCE

2 à 3 cubes de glace

2,5 cl de gin

1,5 cl de vermouth dry français

1 cl de vermouth bianco

1 à 2 traits de bénédictine

1 cerise à cocktail

Ce drink convient tout à fait en apéritif.
Mettre tous les ingrédients dans l'ordre indiqué, dans un verre à mélange. Bien remuer et vider dans un verre à cocktail. Décorer avec la cerise et servir avec un bâtonnet.

ROSE COCKTAIL

Le jus d'un demi-citron

2 cuillerées à dessert de sucre

3 cubes de glace

1 trait de grenadine

1 cl de jus de citron sans la pulpe

1 cl d'abricot brandy

1 cl de vermouth dry français

3 cl de gin

1 cerise à cocktail

Mettre la glace dans un verre à mélange. Ajouter la grenadine, le jus de citron, l'abricot brandy, le vermouth et le gin. Remuer avec une longue cuiller. Vider dans un verre à cocktail. Garnir d'une cerise. Servir avec un bâtonnet.

Rose cocktail

49

Saké spécial

STONEHAMMER COCKTAIL

2 à 3 cubes de glace
1 cl d'eau-de-vie de vin
1 cl de jus de citron
1,5 cl de vermouth rosso
1,5 cl de gin

Une quantité trop importante de citron risque de rendre ce cocktail trop acide. Il vaut mieux alors augmenter la dose de vermouth rosso. Mettre la glace, l'eau-de-vie de vin, le jus de citron, le vermouth et le gin dans le shaker. Secouer fortement et servir dans un verre à cocktail.

SWIZZLES COCKTAIL

Le jus d'une limette
2 cuillerées à café de sucre
1 trait d'angustura
8 cl de gin
3 cuillerées à dessert de glace pilée

Ce long drink nous vient des Caraïbes.
Mettre le jus de limette, le sucre, l'angustura et le gin dans un gobelet moyen. Remplir de glace pilée, puis remuer avec une longue cuiller jusqu'à ce que le verre se couvre de buée et qu'un peu de mousse se forme à la surface du drink. Servir avec une paille.

SAKÉ SPÉCIAL

2 à 3 cubes de glace
2 traits d'angustura
2,5 cl de saké
7,5 cl de gin

Refroidir d'abord un grand verre à cocktail en le mettant cinq minutes dans le compartiment à glace du réfrigérateur. Mettre les glaçons dans un grand gobelet, ajouter les autres ingrédients, puis bien remuer à l'aide d'une longue cuiller. Servir ensuite ce mélange dans le verre à cocktail.

SATAN'S WHISKERS-STRAIGHT

2 à 3 cubes de glace
1 cuillerée à café de liqueur d'orange
1 cuillerée à café d'orange bitter
1 cl de jus d'orange
1 cl de vermouth dry français
1 cl de vermouth bianco
1 cl de dry gin

Ce cocktail à base de gin vous plaira certainement. Mettre tous les ingrédients dans un verre à mélange, bien remuer avec une longue cuiller et servir dans un verre à cocktail.

Swizzles cocktail

TAKE TWO

2 à 3 cubes de glace
2,5 cl de dry gin
1,5 cl de liqueur d'orange
1 cl de Campari

Mettre la glace, le gin, la liqueur d'orange et le Campari dans un verre à mélange. Bien remuer tous les ingrédients à l'aide d'une longue cuiller à mélange. Servir dans un verre à cocktail.

TIA ALEXANDRA

2 à 3 cubes de glace
1,5 cl de crème fraîche
2 cl de Tia Maria
1,5 cl de gin

Le Tia Maria est une liqueur fabriquée à la Jamaïque à partir de sirop de canne à sucre, de café et d'herbes tropicales. Le Tia Maria convient très bien à l'heure du café. Essayez, vous verrez! Mettre la glace et tous les ingrédients dans le shaker. Secouer énergiquement. Servir dans un verre à cocktail.

TOM COLLINS

Le jus d'un citron
2 cuillerées à café de sucre
7,5 cl de dry gin,
4 gros cubes de glace
Eau de Seltz glacée

Ce long drink est bien connu, et à juste titre, car il désaltère au moins aussi bien qu'un sour.
Bien mélanger le jus de citron, le sucre et le gin dans un grand gobelet. Compléter avec l'eau de Seltz. Remuer encore une fois, puis servir avec une paille.

Taxi cocktail

UNCLE HENNING

2 cubes de glace
1 cl de dry gin
2 cl de vermouth extra dry français
2 cl de vermouth bianco
1 trait de sambuca
1/4 de citron pressé
5 cl de ginger ale
2 cerises à cocktail

Mettre tous les ingrédients, excepté le ginger ale et les cerises à cocktail dans le shaker. Secouer énergiquement quelques secondes et verser le contenu dans un gobelet. Compléter avec le ginger ale. Piquer les cerises sur un bâtonnet et les mettre dans le verre.

Take two

TANGO COCKTAIL

2 à 3 cubes de glace
1 cl de jus d'orange
1 cl de curaçao orange
1,5 cl de vermouth rouge
1,5 cl de gin
1 écorce d'orange

Mettre la glace et tous les ingrédients dans le shaker. Secouer énergiquement quelques secondes, puis vider dans un verre à cocktail. Aromatiser de quelques gouttes d'essence d'orange en pressant l'écorce entre le pouce et l'index.

TAXI COCKTAIL

2 à 3 cubes de glace
2 cuillerées à café de jus de limette
2 cuillerées à café de Pernod
2,5 cl de vermouth dry français
2,5 cl de gin

Mettre tous les ingrédients dans un verre à mélange, remuer avec une longue cuiller, puis servir dans un verre à cocktail ou un gobelet.

51

VAMPIRE KILLER

3 à 4 cubes de glace

1 cl de Fernet branca

1 cl de vermouth rosso

3 cl de gin

Mettre les glaçons, le Fernet branca, le vermouth et le gin dans le shaker. Secouer fortement. Servir dans un verre à cocktail ou un gobelet moyen.

VIOLETT FIZZ

2 à 3 cubes de glace

4 cl de dry gin

2 cuillerées à café de sirop de framboise

2 cuillerées à café de crème fraîche

Le jus d'un demi-citron

Eau de Seltz bien fraîche

Concasser la glace et la mettre dans le shaker. Y ajouter tous les ingrédients, excepté l'eau de Seltz. Envelopper le shaker dans une serviette, puis secouer fortement une à deux minutes. Servir dans un gobelet moyen. Compléter avec l'eau de Seltz.

VIRGIN COCKTAIL

2 à 3 cubes de glace

2 cl de gin

2 cl de Forbidden-Fruit liqueur

1 cl de crème de menthe blanche

C'est la Forbidden-Fruit liqueur, fabriquée à partir de pamplemousses et d'oranges et rappelant le goût du curaçao qui donne cet arôme particulier à ce cocktail.
Mettre tous les ingrédients dans le shaker. Secouer énergiquement quelques secondes puis servir dans un verre à vin ou à cocktail.

WHITE FIRE

2 olives vertes dénoyautées

4 cl de dry gin glacé

Violet fizz

Virgin cocktail

Mettre les olives dans un verre à cocktail. Verser le gin glacé par-dessus. Servir avec un bâtonnet.

WHITE LADY

2 à 3 cubes de glace

3 cl de gin

1 cl de Cointreau

1 cl de jus de citron

1 cerise à cocktail avec la queue

Mettre la glace, le gin, le Cointreau et le jus de citron dans le shaker. Secouer énergiquement. Servir dans un verre à cocktail éventuellement avec un bâtonnet.

WHITE ROSE

2 à 3 cubes de glace

4 cl de dry gin

Le jus d'une limette

2,5 cl de jus d'orange

2 cl de marasquin

1 blanc d'œuf

Mettre tous les ingrédients dans l'ordre indiqué, dans le shaker. Bien secouer, puis servir dans un verre à cocktail ou un verre à vin.

YAOURT OYSTER

1 jaune d'œuf

3 cuillerées à dessert de yaourt

2 cl de gin

1 pincée de paprika

1 pincée de curry

1 pincée de poivre blanc

Faire délicatement glisser le jaune d'œuf dans une coupe à champagne, verser le yaourt tout autour, puis le gin par-dessus. Épicer et garnir avec le paprika, le curry et le poivre blanc.

YELLOW DAISY

2 à 3 cuillerées à dessert de glace concassée

4 cl de vermouth dry français

4 cl de dry gin

1 cl de Grand Marnier

1 cerise à cocktail avec la queue

Mettre la glace, le vermouth, le gin et le Grand Marnier dans le shaker. Envelopper le shaker dans une serviette et mélanger énergiquement. Vider son contenu dans un grand verre à vin ou à cocktail. Décorer avec la cerise.

Zénith

YELLOW PARROT

2 à 3 cubes de glace

1, 5 cl de bénédictine

2 cl de chartreuse jaune

1,5 cl de gin

1 cerise à cocktail pour décorer

À base de liqueur, ce cocktail est parfait en dogestif, après un bon diner.
Mettre tous les ingrédients, à l'exception de la cerise, dans le shaker. Secouer énergiquement quelques secondes. Vider le contenu dans un verre à cocktail ou à vin. Ajouter la cerise et servir avec un bâtonnet.

YELLOW SUBMARINE

2 à 3 cubes de glace

1 trait d'angustura

1,5 cl de Dubonnet

1,5 cl de vermouth dry français

2 cl de gin

Pour beaucoup, le nom de ce cocktail fera penser aux Beatles.
Mettre la glace, l'angustura, le Dubonnet, le vermouth et le gin dans un verre à mélange. Bien remuer le tout à l'aide d'une longue cuiller à mélange. Servir dans un verre à cocktail.

ZÉNITH

3 à 4 cubes de glace

2 cuillerées à café de jus d'ananas

5 à 7,5 cl de dry gin

Eau de Seltz glacée

5 morceaux d'ananas

Le Zénith est un long drink rafraîchissant à base de gin. Mettre la glace dans un verre large. Verser le jus d'ananas et le gin par-dessus. Compléter avec l'eau de Seltz et ajouter les morceaux d'ananas. Servir avec une paille et une cuiller.

De gauche à droite : White rose, White lady, White fire

AMERICAN COOLER

3 cubes de glace

2,5 cl de rhum

10 cl de vin rouge

1 cuillerée à café de jus de citron

1 cuillerée à café de jus d'orange

1 cuillerée à café de sirop de sucre

Eau de Seltz

1 rondelle de citron

Mettre les glaçons dans une grande coupe. La remplir de tous les liquides — sauf l'eau de Seltz — et bien mélanger avec les glaçons. Compléter à volonté avec l'eau de Seltz. Décorer le bord du verre avec la rondelle de citron.

BACARDI HIGHBALL

3 cubes de glace

2 cl de curaçao blanc

2 cl de rhum blanc

1 cuillerée à café de jus de citron

Eau de Seltz

Quand de vieux loups de mer se rencontrent quelque part, ils aiment trinquer au Bacardi highball. Mais les marins ne sont pas les seuls à apprécier les drinks à base de rhum blanc.
Piler deux cubes de glace et les mettre dans le shaker. Verser par-dessus le curaçao, le rhum blanc et le jus de citron. Secouer le shaker fortement et verser le mélange dans une coupe. Servir avec un glaçon et un doigt d'eau de Seltz.

BOWL OF THE BRIDE

POUR 6 À 8 PERSONNES

12 cl de grenadine

12 cl de jus de citron

1/2 litre de jus d'ananas

1 bouteille de rhum blanc

600 à 700 g de morceaux d'ananas

500 g de fraises

Eau de Seltz

Bacardi highball

Mélanger le sirop, les jus, le rhum et l'ananas dans un bol, couvrir et laisser macérer deux heures au réfrigérateur. Laver les fraises, les équeuter et les ajouter au mélange après les avoir égouttées. Compléter avec l'eau de Seltz.

American cooler

BASE DE RHUM

CALYPSO

2 à 3 cubes de glace

4 cl de rhum

1 cuillerée à café de jus de citron

Coca-Cola

1 rondelle de citron

Le mélange coca et rhum est connu et apprécié. Le jus de citron donne une note particulière à ce drink.
Mettre les glaçons dans un grand verre. Verser par-dessus le rhum et le jus de citron passé. Ajouter le coca à volonté et garnir d'une rondelle de citron. Servir avec une paille.

CAMPICHELLO

POUR 4 PERSONNES

4 jaunes d'œufs

300 g de sucre

Le zeste râpé et le jus d'un citron

1 bouteille de vin rouge

33 cl de rhum

Mettre les jaunes, le sucre, le jus et le zeste de citron, puis le vin rouge dans une casserole et bien remuer. Faire chauffer au bain-marie sans cesser de battre. Ajouter le rhum en remuant et servir immédiatement dans des verres à punch.

Campichello

CARIOCA

2 cubes de glace

1 cl de sirop d'arbouse

1 cuillerée à café de café soluble

2 cl de rhum

1 trait de jus de citron

3 cl de Grand Marnier

1 cuillerée à dessert de crème chantilly

La nouveauté de ce drink consiste dans le mélange d'arbouse, de café et d'alcools. Cette boisson assurera à vos soirées une ambiance chaleureuse. Essayez-la !
Piler la glace et la mettre dans le shaker. Ajouter les autres ingrédients et secouer le shaker brièvement mais énergiquement. Vider dans un verre à cocktail en retenant la glace et, selon le goût, décorer d'un dôme de crème chantilly. Servir avec une paille.

Carioca

Clipper cocktail

CLIPPER COCKTAIL

2 cuillerées à café de sucre

2 traits de gin

3 cl de jus de citron

2 cl de rhum blanc

2 à 3 cubes de glace

Mettre le sucre, le gin, le jus de citron et le rhum dans un petit verre. Bien remuer avec une cuiller à mélange. Mettre la glace dans un tumbler et verser dessus le contenu du petit verre.

COLUMBUS COCKTAIL

2 à 3 cubes de glace

1,5 cl de jus de citron vert

1,5 cl d'abricot brandy

1,5 cl de rhum

Mettre les glaçons dans le shaker. Ajouter les autres ingrédients et secouer énergiquement. Servir avec une paille dans un verre à cocktail ou un verre ballon en retenant la glace.

CUBA LIBRE

2 à 3 cubes de glace

1,5 cl de jus de citron passé

5 cl de rhum

Coca-Cola

Voici l'une des recettes de long drink les plus connues et les plus appréciées. Mettre les glaçons dans un grand verre. Verser, par-dessus, le jus de citron et le rhum et compléter à volonté avec du Coca-Cola. Mélanger et servir avec une paille.

Columbus cocktail

CUBA CRUSTA

Le jus d'un demi-citron

2 cuillerées à dessert de sucre

2 cubes de glace

1 cl de jus d'ananas

1 cl de jus d'orange

1 cuillerée à café de curaçao triple sec

4 cl de rhum blanc

1 ruban de zeste de citron

Il existe plusieurs versions de ce genre de cocktails. Le Cuba Crusta en est une des plus intéressantes. Préparer d'abord le «givrage» du verre : mettre le jus de citron dans une soucoupe et le sucre dans une autre. Passer le bord d'un verre à vin dans le jus de citron, laisser égoutter un peu, puis le passer dans le sucre. Remettre le verre à l'endroit et laisser sécher. Piler la glace et la mettre dans le shaker. Verser par-dessus le jus de citron, le jus d'ananas, le curaçao, et le rhum. Secouer brièvement mais énergiquement. Vider le contenu du shaker dans le verre et décorer avec le zeste de citron.

DAÏQUIRI COCKTAIL À L'AMÉRIQUE

5 à 7 cubes de glace

2,5 cl de jus de citron vert

5 cl de rhum blanc

1 cuillerée à café de sirop de sucre

1 cuillerée à café de curaçao orange

1 rondelle de citron

1 cerise à cocktail

Passer deux ou trois glaçons, le jus de citron vert, le rhum, le sirop de sucre et le curaçao au mixer. Piler très finement trois ou quatre autres glaçons et en remplir un verre à cocktail aux trois quarts. Verser le contenu du mixer au-dessus. Décorer avec la rondelle de citron et la cerise. On peut aussi garnir ce cocktail d'autres fruits.

DAÏQUIRI ON THE ROCKS

6 à 8 cubes de glace

2,5 cl de jus de citron vert

3 cuillerées à café de sirop de sucre

5 cl de rhum blanc

Quand il n'était pas aux prises avec des aventures involontaires, notre «Homme de La Havane», Sir Alec Guiness, commandait toujours un Daïquiri pour se rafraîchir, l'authentique boisson cubaine pour les nuits torrides des Tropiques. Mettre deux ou trois glaçons, le jus de citron vert, le sirop

Dawn crusta

EAST INDIA

1 cube de glace

4 cl de rhum blanc

1 cuillerée à café de curaçao orange

1 cuillerée à café de jus d'ananas

1 trait d'angustura

1 cerise à cocktail

Mettre les glaçons dans le shaker. Ajouter les autres ingrédients, sans la cerise, et bien secouer. Passer dans un verre à cocktail. Décorer avec la cerise et servir avec un bâtonnet.

EL DORADO

2 à 3 cubes de glace

1 cuillerée à café de noix de coco râpée

2,5 cl de cognac aux œufs

2,5 cl de crème de cacao noir

5 cl de rhum blanc

On ne sait pas si ce cocktail nous vient de la forêt vierge située sur l'Alto Parama en Argentine et qui fut colonisée par les Allemands, ou bien du légendaire Pays de l'or du nom de ce cocktail.
Mettre tous les ingrédients dans le shaker et bien secouer. Servir avec une paille dans un grand verre à cocktail ou dans une coupe à champagne.

de sucre et le rhum blanc dans le shaker. Bien secouer. Mettre les quatre ou cinq autres glaçons dans un tumbler et verser le contenu du shaker par-dessus. Servir aussitôt.

DAWN CRUSTA

Le jus d'un demi-citron

1 cuillerée à dessert de sucre

1 à 2 cubes de glace

4 cl de rhum blanc

1 cl de jus d'orange

1 cuillerée à café d'abricot brandy

1 doigt de grenadine

1 ruban d'écorce d'orange

Préparer d'abord le givrage : passer le bord d'un verre à vin dans le jus de citron, laisser égoutter un peu, puis le passer dans le sucre. Remettre le verre à l'endroit et laisser sécher le «givre». Piler grossièrement la glace et la mettre dans le shaker. Verser, par-dessus, le rhum, le jus d'orange, l'abricot brandy et la grenadine. Secouer brièvement mais énergiquement. Passer dans le verre givré et décorer avec le ruban d'écorce d'orange.

East India

Grog américain

FAVORI

2 cl de curaçao blanc

2 cl de rhum

2 cl de lait concentré

1 cuillerée et demie à café de sucre en poudre

1 cuillerée et demie à café de café soluble

1 jaune d'œuf

On appelle volontiers cette boisson un promille flip tonifiant. Passer tous les ingrédients au mixer et servir dans un verre avec une paille.

FLEUR ROUGE

Le jus d'un demi-citron

2 à 3 cubes de glace

2 cuillerées à dessert de sucre

1,5 cl de Schwarzer Kater

1,5 cl de rhum

1,5 cl de vermouth rosso

1 trait de jus de citron

1 trait de vermouth dry

1 tranche d'orange pour décorer

Givrer d'abord le verre : mettre le sucre dans une soucoupe et le jus de citron dans une autre. Tremper le bord d'un verre à cocktail dans le jus de citron puis dans le sucre, après avoir laissé égoutter un peu. Retourner le verre et laisser sécher. Mettre tous les ingrédients, excepté la tranche d'orange, dans le shaker. Secouer énergiquement et servir dans le verre givré.

FLIP DE COCO

1 cuillerée à dessert de glace pilée

1 verre (2 cl) de rhum blanc

1 jaune d'œuf

1 cuillerée à café de crème fraîche

2 verres (2 x 2 cl) de crème de cacao

Noix de muscade râpée

Ce flip tient son nom de la minuscule île Coco de l'Océan Pacifique.
Bien secouer le shaker contenant la glace, le rhum blanc, le jaune d'œuf, la crème fraîche et la crème de cacao. Le jaune d'œuf et la crème fraîche doivent être bien battus et former une mousse. Verser dans un verre à flip ou à vin rouge. Saupoudrer légèrement de noix de muscade. Servir aussitôt avec une paille. Ne pas laisser reposer pour éviter que la mousse ne tombe.

GOOD MORNING COCKTAIL

3 cubes de glace

2 cl de rhum

2 cl de porto

Le jus d'un demi-citron

1 blanc d'œuf

1 cuillerée à café de sirop de sucre

Ceux qui, le matin, se signent sans y croire, apprécieront beaucoup cette boisson. Mettre la glace dans le shaker; ajouter les autres ingrédients, secouer et servir dans un gobelet.

GROG AMÉRICAIN

12 cl de thé fort et brûlant

1 à 2 cuillerées à café de sucre

1 doigt de curaçao

4 cl de rhum

1 rondelle de citron

1 clou de girofle

Les grogs à base de thé sont répandus dans le monde entier et leur préparation diffère selon les régions. Bien mélanger les ingrédients dans un verre à grog. Puis, ajouter à la fin la rondelle de citron et le clou de girofle.

GROG BEURRE

10 à 20 g de beurre

3 cuillerées à café de sucre

2 clous de girofle

Un peu de cannelle

1 zeste de citron

10 cl de rhum ou d'eau-de-vie de vin

Jus de raisin ou de pomme chaud

Une recette à retenir pour l'hiver.
Mettre le beurre et le sucre dans un verre à punch ou à grog. Ajouter les épices et, au choix, verser du rhum ou de l'eau-de-vie de vin par-dessus. Remplir de jus de raisin ou de pomme chaud et bien remuer. Puis retirer les épices et servir le grog. En outre, il est possible de remplacer le jus de fruit par de l'eau.

Highland punch

GROG DU HOLSTEIN AUX ŒUFS

1 jaune d'œuf

1 cuillerée à dessert de sucre

4 cl d'eau

6 à 8 cl de rhum

On dit que plus le grog est fort, meilleur il est. Battre le jaune et le sucre jusqu'à obtenir une crème mousseuse qu'on mettra dans un verre à grog réchauffé. Faire chauffer séparément l'eau et le rhum et les ajouter au mélange mousseux. Servir très chaud.

CONSEIL

Passer le verre à grog sous l'eau chaude avant d'y verser le grog afin de ne pas faire éclater le verre. On peut aussi placer une cuiller en argent dans le verre.

HIGHLAND-PUNCH

POUR 8 PERSONNES

350 g de sucre

Le jus d'un citron

1 litre d'eau

1/2 bouteille de whisky

1/2 bouteille de rhum

12 cl d'eau-de-vie de vin

12 cl de porto

Il est préférable de ne jamais boire ce punch à jeun.
Faire frémir le sucre, le jus de citron passé et l'eau dans une casserole. Ajouter successivement les autres alcools. Réchauffer le tout et servir aussitôt dans des verres à punch.

ISLAND DREAM

3 à 4 cubes de glace

2 cuillerées à café de curaçao

2 cuillerées à café de grenadine

2 cuillerées à café de jus de citron

2 cuillerées à café de jus d'orange

Rhum blanc

3 cerises à cocktail

1 rondelle de citron

Piler très finement la glace et en remplir un gobelet jusqu'à la moitié. Ajouter le curaçao, la grenadine, le jus de citron et d'orange, compléter avec le rhum à volonté, bien remuer et décorer avec les cerises à cocktail et la rondelle de citron. Servir avec un bâtonnet pour piquer les cerises.

MAGICIEN

3 cuillerées à dessert de glace concassée

2,5 cl de jus de limette

2,5 cl de jus d'orange

2,5 à 5 cl de lait de noix de coco

2 cuillerées à café de grenadine

2 cuillerées à café de sucre

2 à 3 traits d'angustura

5 à 7,5 cl de rhum blanc

2 cuillerées à dessert de glace pilée

2 à 3 brins de menthe

1 rondelle d'orange

1 rondelle de limette

2 cerises à cocktail

Island dream

Mettre la glace concassée, les jus de limette et d'orange, le lait de noix de coco, la grenadine, le sucre, l'angustura et le rhum dans le shaker. Envelopper le shaker dans une serviette et bien l'agiter pendant une à deux minutes. Verser le contenu dans un grand gobelet. Ajouter la glace pilée et décorer avec les brins de menthe et les fruits. Servir avec une paille et une cuiller.

MAÏ TAÏ

2 à 3 cubes de glace

2,5 cl de jus de citron vert

2,5 cl de jus d'orange

5 cl de rhum blanc

3 cerises à cocktail ou au marasquin

3 morceaux d'ananas

2 rondelles d'orange

Maï Taï rime avec Hawaï et c'est d'ailleurs justement de là que nous vient ce drink à base de rhum. À Hawaï, on sert toujours le Maï Taï avant le traditionnel «luau», fête de la ripaille, où l'on fait rôtir poules et cochons dans un grand trou.
Râper finement la glace comme pour le cobbler. Mettre le jus de citron vert et le jus d'orange dans un petit gobelet et bien remuer. Le remplir avec la glace pilée. Puis, décorer avec les cerises, les morceaux d'ananas et les rondelles d'orange. Servir avec une paille et une cuiller.

Maï Taï

60

Mallorca

Manhattan latin

MALLORCA

3 cubes de glace

2 cl de rhum

1 cl de drambuie

1 cl de vermouth dry

1 cl de liqueur de banane

1 zeste de citron

Voici un cocktail inventé par Enrique Bastante, barman à «La Boîte» de Madrid et qui peut être fier de sa création. Mettre la glace, le rhum, le vermouth dry, la liqueur de banane et le drambuie dans un verre à mélange. Remuer trente secondes avec une longue cuiller. Servir dans un verre à cocktail en retenant les glaçons. Décorer avec le zeste de citron.

MANHATTAN LATIN

2 à 3 cubes de glace

3,5 cl de rhum blanc

1,5 cl de vermouth rosso

1 cerise à cocktail

Mettre la glace, le rhum et le vermouth dans un verre à mélange et bien remuer. Vider le contenu dans un verre à cocktail et décorer avec une cerise à cocktail. Servir avec un bâtonnet pour la cerise.

Mississipi

MISSISSIPI

2 à 3 cubes de glace

2,5 cl de rye

2,5 cl de rhum

2 traits de sirop de sucre

Le jus d'un citron

1 ruban de zeste de citron

Mettre la glace, le rye, le sirop de sucre et le jus de citron dans le shaker. Secouer énergiquement quelques secondes et servir dans un verre à pied. Décorer avec le ruban de zeste de citron. Une façon originale de procéder est de planter le ruban de zeste sur un bâtonnet que l'on met dans le verre. Si l'on veut que le Mississipi ait un goût de citron encore plus prononcé, on peut l'arroser d'une fine pluie d'essence de citron en roulant le zeste entre le pouce et l'index au-dessus du verre.

Pharisien

MOJITO

5 cl de rhum blanc

1 cuillerée à café de sucre

Le jus d'une demi-limette

4 cubes de glace

Eau de Seltz

1 rondelle de limette

Feuilles de menthe

Verser le rhum, le sucre et le jus de limette dans un grand verre. Piler finement la glace et en remplir le verre aux trois quarts. Compléter avec l'eau de Seltz et remuer avec une longue cuiller. Décorer avec la rondelle de limette et le brin de menthe. Servir avec une paille et une cuiller.

PHARISIEN

5 cl de rhum brun

3 à 4 cuillerées à café de sucre

Café fort et très chaud pour remplir le verre

1 à 2 cuillerées à dessert de crème chantilly

Verser le rhum réchauffé dans une tasse bien chaude ou un verre à café résistant à la chaleur.
Ajouter le sucre et remuer. Verser du café très chaud jusqu'aux trois quarts et surmonter d'un dôme de crème chantilly. Servir aussitôt pour ne pas faire refroidir le café.

Planter's punch

PLANTER'S PUNCH

2 à 3 cubes de glace

2 cuillerées à café de sirop de sucre

Le jus d'un demi-citron

5 cl de rhum blanc

2 à 3 cubes de glace

1 cuillerée à dessert de fruits de saison

Piler grossièrement la glace et la mettre dans le shaker avec le sirop de sucre, le jus de citron et le rhum. Secouer énergiquement. Concasser les glaçons et les mettre dans un grand gobelet. Verser le contenu du shaker par-dessus. Remuer avec une longue cuiller jusqu'à ce que le verre se couvre de buée. Décorer avec les fruits, puis servir avec une paille et une cuiller.

Présidente

PRÉSIDENTE

3 à 4 cubes de glace

2,5 cl de vermouth dry français

7,5 cl de rhum blanc

1 spirale d'écorce d'orange

Mettre la glace dans un verre à mélange. Verser le vermouth et le rhum par-dessus. Remuer soigneusement avec une longue cuiller. Servir dans un gobelet ou un verre à pied. Accrocher la spirale d'orange sur le bord du verre.

Punch à la framboise 1

PUNCH À LA FRAMBOISE 1

POUR 6 À 8 PERSONNES

Le jus de deux citrons

300 g de sucre

2 litres d'eau

25 cl de rhum

25 cl de sirop de framboise

250 g de framboises

6 à 8 rondelles de citron

Dans cette recette, il est important, comme pour tous les punchs «solides», de ne pas faire trop chauffer les liquides afin que subsistent l'alcool et l'arôme. En outre, il est possible de remplacer l'eau ou une partie de celle-ci par du thé noir.

Faire chauffer tous les ingrédients, excepté les framboises et les rondelles de citron. Verser dans une terrine à punch réchauffée. Ajouter les framboises et goûter. Puis servirr dans des verres à punch ou autres résistant à la chaleur. Décorer chaque verre avec une rondelle de citron.

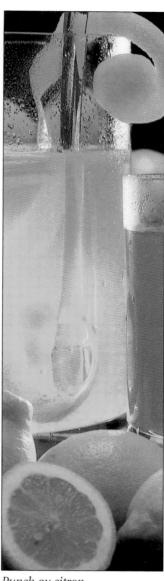

Punch au citron

PUNCH AU CITRON

POUR 4 À 6 PERSONNES

1 litre d'eau

300 g de sucre

Le zeste râpé de cinq citrons

1 bouteille de vin rouge

Le jus passé de six citrons

25 cl de rhum

Mettre l'eau, le sucre et le zeste râpé dans une casserole. Amener à ébullition sans cesser de remuer. Filtrer dans une autre casserole, une fois le sucre dissous. Verser le vin rouge et le jus de citron, puis faire frémir. Ajouter le rhum. Servir dans des verres résistant à la chaleur.

PUNCH PUERTO RICO

POUR 6 À 8 PERSONNES

200 g de sucre brun

1 bouteille de rhum de Puerto Rico

50 cl d'eau-de-vie de vin

5 cl d'aquavit

5 cl de bénédictine

1 spirale de zeste de citron

1 litre et demi d'eau

5 ou 6 tranches de pamplemousse

Ce punch, vite préparé, est conseillé pour un soir d'été un peu frais.
Mettre le sucre, le rhum, l'eau-de-vie de vin, l'aquavit et la Bénédictine dans une casserole. Ajouter la spirale de zeste de citron, l'eau, puis faire frémir. Passer dans des verres à punch réchauffés. Mettre une tranche de pamplemousse dans chaque verre et servir avec une cuiller.

QUARTER DECK 1

2 à 3 cubes de glace

3 cl de rhum brun

2 cl de xérès

2 cuillerées à café de jus de limette

Mettre tous les ingrédients dans le shaker. Bien secouer et servir dans un verre à cocktail.

Punch Puerto Rico

Quarter deck 1 et 2

QUARTER DECK 2

2 à 3 cubes de glace

2,5 cl de rhum de la Jamaïque

1 cl de whisky

1,5 cl de dry xérès

1 à 2 cuillerées à café de sirop de sucre

1 trait d'orange bitter

Mettre tous les ingrédients, dans l'ordre indiqué, dans le shaker. Bien secouer et verser dans un verre à cocktail.

RAMONA FIZZ

2 à 3 cubes de glace

5 cl de jus de citron

5 cl de rhum

2,5 cl de curaçao orange

2 cuillerées à café de sucre

Eau de Seltz

1 rondelle de citron

Piler grossièrement la glace. La mettre dans le shaker avec le jus de citron, le rhum, le curaçao orange et le sucre. Envelopper le shaker dans une serviette et le secouer énergiquement quelques secondes. Servir le contenu dans un grand gobelet et compléter avec l'eau de Seltz.

ROYAL BERMUDA

2 à 3 cubes de glaces

3 cl de rhum blanc

2 cl de jus de citron

1 trait de Cointreau

1 trait de sirop de sucre

Ramona fizz

Royal Bermuda

Vous pourrez aussi servir ce drink en rafraîchissement entre les repas.
Mettre la glace et tous les ingrédients dans le shaker. Secouer énergiquement quelques secondes. Servir dans un verre à cocktail.

RED SKIN

2 à 3 cubes de glace

5 cl de rhum

2 cuillerées à café de grenadine

1 pincée de poivre, de cannelle et de muscade

1 rondelle de citron

Comme pour la plupart des cocktails à base de rhum, il est conseillé d'utiliser un rhum léger pour la préparation de ce drink, le rhum de la Jamaïque étant généralement trop fort. Rhums de Cuba et rhums blancs sont donc recommandés.
Mettre la glace, le rhum, la grenadine et les épices dans le shaker. Bien secouer le tout quelques secondes. Servir dans un verre à cocktail et décorer avec la rondelle de citron.

Red skin

RHUM ALEXANDER

2 à 3 cubes de glace

2 cl de crème de cacao blanche

1,5 cl de rhum blanc

1,5 cl de crème fraîche

Mettre dans le shaker tous les ingrédients dans l'ordre indiqué. Bien secouer et servir aussitôt dans un verre à cocktail.

RHUM COBBLER

3 à 4 cubes de glace

1 cuillerée à café de marasquin

1 cuillerée à café de grenadine

1 tranche d'orange

1 rondelle de limette

2 cerises à cocktail

1 cuillerée à dessert de morceaux d'ananas

1 à 2 fraises

Rhum

De gauche à droite : Rhum cobbler, Rhum sour, Rhum Alexander

Piler finement la glace et en remplir la moitié d'une grande coupe. Verser le marasquin et la grenadine par-dessus. Décorer avec les fruits et compléter avec le rhum. Servir avec une paille et une cuiller.

RHUM FLIP

3 à 4 cubes de glaces

2,5 cl de rhum

2,5 cl de thé fort et froid

2 cuillerées à café de curaçao orange

2 à 3 cuillerées à café de sirop de sucre

1 jaune d'œuf

Mettre la glace et tous les ingrédients dans le shaker. Secouer énergiquement quelques secondes, puis servir avec une paille dans une coupe à champagne ou dans un grand gobelet

RHUM SOUR

2 à 3 cubes de glace

1 cuillerée à café de sirop de sucre

Le jus d'un citron

4 cl de rhum

2 cerises à cocktail pour décorer

Mettre la glace, le sirop de sucre, le jus de citron et le rhum dans le shaker. Bien secouer et Verser le contenu dans un petit gobelet. Décorer avec les cerises. Servir avec un bâtonnet.

SHERATON DAÏQUIRI

Le jus d'un demi-citron

2 cuillerées à café de sucre

2 à 3 cubes de glace

5 cl de jus de citron vert

3,5 cl de rhum blanc

1,5 cl de liqueur d'abricot

Givrer d'abord le verre en trempant le bord d'un grand verre à cocktail dans le jus de citron, puis dans le sucre après avoir laissé un peu égoutter. Remettre le verre à l'endroit et laisser sécher le bord givré.
Mettre la glace et tous les ingrédients dans le shaker, le secouer énergiquement quelques secondes, puis servir très frais son contenu dans le verre givré.

SPS COCKTAIL (SUPER PRUNE DE SUSANNE)

1 prune surgelée dénoyautée

2 cl de rhum blanc

2 cl de chartreuse jaune

1 cl de jus d'orange

Couper la prune en petits morceaux et la mettre dans le shaker avec les autres ingrédients. Remuer soigneusement un bon moment. Servir dans un verre à cocktail.

X.Y.Z.

SUMELE

Le jus d'un demi-citron

2 cuillerées à dessert de sucre

2 à 3 cubes de glace,

1 cl de bénédictine

1,5 cl de rhum blanc

1 cl de crème de cacao blanche

1,5 cl de jus de citron

Mettre le sucre dans une soucoupe et le jus de citron dans une autre. Tremper le bord d'un verre à cocktail dans le jus de citron, puis dans le sucre après avoir laissé un peu égoutter. Remettre le verre à l'endroit et laisser sécher «le givre». Mettre la glace et tous les ingrédients dans le shaker, secouer fort et vider le contenu dans un verre à cocktail.

TOM AND JERRY

POUR 4 PERSONNES

4 œufs

4 cuillerées à dessert de sucre

20 cl de rhum ou d'eau-de-vie de vin

Lait glacé pour remplir le verre.

Séparer les blancs des jaunes. Battre les jaunes et le sucre dans un plat jusqu'à obtenir une crème mousseuse. Battre les blancs en neige dans un autre plat. Mélanger les deux délicatement. Répartir ce mélange mousseux dans quatre grands gobelets en verre ou en grès. Verser 5 cl de rhum ou d'eau-de-vie de vin dans chaque verre. Compléter avec le lait glacé, remuer doucement, puis servir avec une paille et une cuiller.

TROPICAL ITCH

5 cl de rhum blanc

5 cl de vodka

5 cl de jus de mangue

2,5 cl de sirop de sucre

3 à 4 cuillerées à dessert de glace concassée

2 brins de menthe fraîche

1 rondelle d'orange

3 cerises à cocktail

Le Tropical itch compte parmi les boissons fruitées à base de rhum qui ont été inventées aux Antilles, et qui sont généralement appelées «Planter's punch», pour lequel il n'y a pas de recette bien déterminée. À défaut de jus de mangue, on pourra utiliser

d'autres jus de fruit. Mettre le rhum, la vodka, le jus de mangue, le sirop de sucre et la glace dans un grand gobelet. Bien remuer à l'aide d'une longue cuiller à mélange. Décorer avec la menthe, la rondelle d'orange et les cerises. Servir avec une paille et une cuiller.

VAGUE

3 morceaux de sucre

5 cl d'eau bouillante

5 cl de rhum

5 cl de vin rouge chaud

1/2 rondelle de citron

Un grog solide mais bien apprécié, surtout par les femmes.

Zazarac cocktail

Réchauffer un verre à punch, y mettre une cuiller, déposer les morceaux de sucre au fond, et verser successivement l'eau, le rhum et le vin rouge à volonté. Mélanger; décorer avec la rondelle de citron.

X.Y.Z.

2 à 3 cubes de glace

2,5 cl de rhum brun

1,5 cl de liqueur d'orange

1 cl de jus de citron.

Mettre tous les ingrédients dans le shaker. Secouer énergiquement quelques secondes et servir dans un verre à cocktail ou une coupe. Il est conseillé d'utiliser du rhum de la Jamaïque et de ne pas abuser du jus de citron dans la préparation de l'X.Y.Z.

ZAZARAC COCKTAIL

2 à 3 cubes de glace

1 trait d'orange bitter

1 trait d'angustura

1 trait de grenadine

1,5 cl de whisky

1,5 cl d'anisette

2 cl de rhum blanc

1 zeste de citron

Mettre tous les ingrédients dans le shaker, à l'exception du zeste de citron. Secouer énergiquement quelques secondes. Vider le contenu du shaker dans un verre à vin. Arroser de quelques gouttes d'essence de citron en pressant le zeste entre le pouce et l'index.

PUNCH

Le mot «punch» vient du sanscrit «pantscha» qui signifie «cinq»; en effet, la recette classique du punch comporte cinq ingrédients: vin ou thé, jus de citron, sucre, eau et un spiritueux tel que du rhum, de l'arack, du brandy, etc. Les punchs, généralement des long drinks, font partie des drinks américains et se boivent chauds ou froids.

ARACK-GROG

2 cuillerées à café de sucre candi

1 cl de jus de citron sans pulpe

5 cl d'arack

10 cl d'eau bouillante

Si vous rentrez gelé ou épuisé, ce grog ne tardera pas à vous revigorer.
Chauffer légèrement un verre à anse en y plongeant une cuiller afin d'éviter que le verre n'éclate. Mettre le sucre candi et le jus de citron dans

Brandy tea punch

le verre, puis verser l'arack et l'eau bouillante au-dessus. Bien remuer et servir très chaud.

ARACK-PUNCH

POUR 4 À 6 PERSONNES

15 morceaux de sucre

1 litre de thé chaud et fort

4 citrons

300 g de sucre en poudre

1/2 litre d'arack

Frotter la peau des citrons

avec le sucre en morceaux. Presser les citrons. Passer le jus et le verser dans le thé avec le sucre en poudre et en morceaux; puis faire fondre le sucre en remuant.
Ajouter l'arack et faire chauffer le punch en faisant attention de ne pas faire bouillir.

Arack-punch

PUNCH ET DE SANGRIA

ARACK-PUNCH AUX ŒUFS

POUR 4 À 6 PERSONNES

1 litre de thé chaud et fort

300 g de sucre

6 jaunes d'œufs

1/2 litre d'arack

Ce punch à base d'œufs vous réchauffera rapidement après une promenade, un jour d'hiver. Dissoudre dans une casserole 150 g de sucre avec le thé. Mélanger dans un plat les jaunes d'œuf avec l'arack et le reste de sucre, puis, sans cesser de remuer, verser sur le thé chaud. Faire chauffer le punch à feu doux en remuant toujours. Attention de ne pas faire bouillir. Servir aussitôt dans des verres à anse résistant à la chaleur.

Arack-punch aux œufs, arack-grog

BRANDY PUNCH AUX ŒUFS

1/2 litre de thé fort et bien chaud

125 g de sucre

3 jaunes d'œufs

125 g de sucre

1/2 litre d'eau-de-vie de vin.

Ce punch aux œufs est particulièrement recommandé en hiver.
Faire chauffer le thé et le sucre dans une casserole. Battre les jaunes d'œuf, le sucre et l'eau-de-vie de vin jusqu'à obtenir une mousse, puis, sans cesser de remuer, verser cette mousse dans le

thé qui continue à chauffer à feu doux. Laisser chauffer jusqu'à ce que le punch commence à monter.

BRANDY TEA PUNCH

2 à 3 cubes de glace

Le jus d'un demi-citron

1 cuillerée à café de sirop de sucre

2 cl de curaçao orange

4 cl d'eau-de-vie de vin

4 cl de thé froid et fort

1/2 pêche

2 cerises à cocktail et 2 fraises pour décorer

Râper finement la glace. La mettre avec le jus de citron, le sirop de sucre, le curaçao orange, l'eau-de-vie de vin et le thé dans une timbale moyenne. Bien remuer le tout. Décorer avec les fruits. Servir avec une paille et une cuiller.

PUNCH AMAZONE

POUR 4 À 6 PERSONNES

3 jaunes d'œufs

1/2 sachet de sucre vanillé

250 g de sucre

Le zeste râpé d'un demi-citron

12 cl de crème fraîche

50 cl de lait

25 cl d'eau-de-vie de vin

1/2 bouteille de vin du Rhin

Fouetter les jaunes, le sucre vanillé, le sucre, le zeste de citron et la crème dans une casserole et, sans cesser de battre, faire chauffer à feu doux sans laisser bouillir. Puis, ajouter successivement, toujours en remuant, le lait, l'eau-de-vie et le vin du Rhin. Servir le punch brûlant dans des verres à anse.

PUNCH À LA FRAMBOISE 2

1 cuillerée à dessert de framboises fraîches

2 cuillerées à café de sirop de framboise

5 cl de crème de framboise

12 cl d'eau bouillante

1 rondelle de citron

Laver les framboises, les égoutter et les mettre dans un verre à punch. Verser le sirop et la crème de framboise par-dessus. Compléter avec l'eau bouillante et décorer d'une rondelle de citron.

Punch à la framboise 2

PUNCH À L'ANANAS

POUR 6 À 8 PERSONNES

250 g d'ananas au sirop en tranche

10 cl de jus d'ananas

10 cl de madère

50 cl de thé fort

250 g de sucre

3 bouteilles de vin rouge

Le jus passé de trois citrons

25 cl d'arack

Mettre les tranches d'ananas dans un récipient à punch et verser par-dessus le jus d'ananas et le madère. Placer

Punch à la prunelle

Punch à l'orange

72

deux heures au réfrigérateur avec un couvercle. Dans une casserole, mélanger le thé et le sucre, puis ajouter le jus des citrons et l'arack. Faire chauffer la mixture sans la laisser bouillir. Verser le punch chaud sur les tranches d'ananas, remuer. Servir immédiatement. Ce punch s'accompagne très bien de macarons ou de petits sablés.

PUNCH À LA POMME

POUR 4 À 6 PERSONNES

1 litre de jus de pomme

50 cl de thé bien fort

2 cuillerées à café de sucre

1 citron et 1 orange

1 petit bâton de cannelle

2 clous de girofle

5 cl de calvados

Ce punch réchauffera toute la famille après le ski ou une partie de luge.
Mettre le thé et le jus de pomme dans une casserole. Éplucher le citron et l'orange et en extraire le jus que l'on mettra avec les zestes, le sucre et les épices dans la casserole. Faire chauffer le punch à feu doux sans laisser bouillir. Ajouter le calvados à la fin. Goûter et sucrer à volonté. Passer le punch et le verser dans une terrine préchauffée ; servir aussitôt dans des verres à anse résistant à la chaleur. Le punch sera encore meilleur si on lui ajoute un ou deux jaunes d'œuf battus dans l'eau tiède.

Punch au kirsch

PUNCH À LA PRUNELLE

POUR 6 À 8 PERSONNES

1 litre de thé noir fort

50 cl de jus de prunelle

4 à 6 cl de jus de citron passé

100 g de sucre

4 à 6 cuillerées à café de sirop d'arbouse

6 à 8 rondelles de citron

Mélanger le thé et le jus de prunelle dans une casserole et faire frémir. Aromatiser de jus de citron et de sucre, puis de sirop d'arbouse. Passer dans des verres résistant à la chaleur, dans lesquels on mettra une rondelle de citron.

PUNCH À L'ORANGE

POUR 4 À 6 PERSONNES

50 cl de thé fort

50 cl de rhum

25 cl de sirop d'orange

25 cl de curaçao orange

4 à 6 tranches d'orange

À servir lors d'une soirée un peu fraîche
Faire frémir, dans une casserole, le thé, le rhum, le sirop d'orange et le curaçao. Servir dans des verres réchauffés. Garnir chaque verre d'une tranche d'orange.

PUNCH AU KIRSCH

POUR 4 À 5 PERSONNES

2 cuillerées à bouche de sucre

25 cl de kirsch

25 cl de jus de cerise

1 cuillerée à café de marasquin

20 cerises à cocktail

Mettre tous les ingrédients dans une casserole, sauf les cerises. Faire frémir. Servir dans des verres à punch réchauffés. Piquer les cerises sur les bâtonnets que l'on mettra dans les verres. On peut aussi compléter ce punch avec du thé noir très chaud.

PUNCH AU LAIT

2 à 3 cubes de glace

2 cl de rhum

2 cl d'eau-de-vie de vin

2 à 3 cuillerées à café de sirop de sucre ou de grenadine

20 cl de lait froid

Noix de muscade

Une recette parfaite pour faire boire du lait à ceux qui ne l'apprécient pas beaucoup.

Ajouter les ingrédients dans l'ordre. Secouer le shaker énergiquement quelques secondes et verser le mélange dans un grand gobelet. Râper un peu de noix de muscade par-dessus. Servir avec une paille. Ce punch peut aussi se boire chaud. On mélange alors les ingrédients dans le verre, sans les glaçons, et on verse du lait chaud par-dessus.

PUNCH AU MIEL

POUR 6 À 8 PERSONNES

750 g de miel

Le zeste d'un demi-citron

Le zeste d'une demi-orange

1 petit bâton de cannelle

4 clous de girofle

1 litre et demi d'eau

1/2 bouteille d'arack

Le jus d'un demi-citron

Le jus d'une demi-orange

6 à 8 rondelles de citron

La règle est la même pour tous les punchs : ne pas faire chauffer trop fort pour ne pas faire disparaître l'arôme et l'alcool.
Faire frémir dans une casserole le miel, les écorces de citron et d'orange, la cannelle, les clous de girofle et l'eau. Verser dans une terrine réchauffée, mélanger avec l'arack légèrement chauffé et les jus d'orange et de citron, puis servir dans des verres à punch. Mettre une rondelle de citron dans chaque verre.

Punch au thé

PUNCH AU PORTO

POUR 4 À 6 PERSONNES

1 litre d'eau
L'écorce râpée d'une orange
Le zeste râpé d'un citron
1 pincée de noix muscade râpée
1 pincée de gingembre
4 clous de girofle
1 petit bâton de cannelle,
Le jus d'une orange
Le jus d'un citron
1 litre et demi de porto
4 cl de curaçao
3 cuillerées à café de sirop de sucre

Faire frémir, dans une casserole, eau, écorce d'orange et zeste de citron râpé, noix de muscade, poudre de gingembre, clous de girofle et cannelle. Vider dans une autre casserole. Ajouter les jus de citron et d'orange, le porto et le curaçao. Faire frémir de nouveau. Aromatiser avec le sirop de sucre. Passer et servir très chaud dans des verres résistant à la chaleur.

PUNCH AU SUREAU

POUR 4 À 6 PERSONNES

1 litre de jus de sureau
50 cl de thé fort
Le jus et le zeste d'un citron
Le jus et l'écorce d'une orange
1 bâton de cannelle
2 clous de girofle
Sucre à volonté
1 cuillerée à café de sirop d'arbouse

Faire frémir tous les ingrédients, excepté le sucre et le sirop d'arbouse ; sucrer et aromatiser avec le sirop d'arbouse selon le goût ; passer et servir dans des verres à punch.

PUNCH AU THÉ

POUR 6 À 8 PERSONNES

2 litres de thé noir fort
50 cl de rhum brun
50 cl d'eau-de-vie de vin
Sucre à volonté
6 à 8 rondelles de citron

Ce punch au thé comprend cinq ingrédients, comme tous les punchs, en général. Il existe, cependant, une différence, avec le punch classique : l'eau est, ici, remplacée par de l'eau-de-vie de vin.
Sucrer cette boisson à volonté et la verser dans des verres résistant à la chaleur.

PUNCH AU THÉ À LA MAUVE

POUR 4 À 6 PERSONNES

4 à 5 sachets de thé à la mauve
33 cl d'eau bouillante
Le jus d'un citron
Le jus de deux oranges
5 cl d'eau-de-vie de vin
10 cl de liqueur de banane
1 orange coupée en tranches fines
2 rondelles de citron
1 petite pomme coupée en tranches
5 gros cubes de glace
Ginger ale à volonté

Verser l'eau bouillante sur le thé à la mauve et laisser infuser quinze minutes. Retirer les sachets de thé et laisser refroidir. Verser les jus d'orange et de citron dans le thé en utilisant la passoire. Ajouter l'eau-de-vie de vin, la liqueur de banane, les rondelles de citron, ainsi que les tranches de pomme et d'orange. Ajouter ensuite les glaçons et servir. Selon le goût, on peut aussi compléter ce punch avec du ginger ale.

PUNCH AU THÉ ET AU VIN ROUGE

POUR 4 PERSONNES

50 cl de vin rouge
70 g de sucre
1 litre de thé noir très chaud
25 cl de rhum blanc
1 spirale de zeste de citron

Faire frémir le vin rouge et le sucre. Lorsque le sucre s'est dissout, ajouter le thé chaud, le rhum et la spirale de zeste de citron. Remuer doucement et faire frémir deux fois. Verser dans une cruche résistant à la chaleur, puis servir aussitôt. On peut, selon le goût, décorer les verres comme sur la photo avec une spirale de zeste de citron.

PUNCH AU THÉ FLAMBÉ

POUR 4 À 6 PERSONNES

500 g de sucre
1 bouteille de rhum
Le jus de quatre oranges et quatre citrons
50 cl de thé noir bien fort

Mettre le sucre dans un récipient à punch ou une casserole. Verser le rhum par-dessus. Allumer et flamber jusqu'à ce que le sucre roussisse. Faire chauffer les jus d'orange et de jus de citron ainsi que le thé dans une autre casserole. Verser ce mélange dans le récipient à punch, remuer et servir aussitôt dans des verres à punch.

Punch au thé à la mauve

PUNCH AUX ÉPICES

POUR 4 À 6 PERSONNES

1 bouteille de jus de raisin rouge

1 bouteille de jus de pomme

Le jus de deux citrons

Le jus d'une orange

6 clous de girofle

1 petit bâton de cannelle

1 pincée de noix de muscade

Le zeste d'un demi-citron

25 cl d'eau

1 à 2 cuillerées à café de miel

Ce punch délicieux ne contient pas d'alcool. Faire bouillir dans une casserole les jus de raisin, de pomme, de citron et d'orange, l'eau et toutes les épices et laisser infuser dix minutes. Verser dans une terrine à punch et sucrer avec du miel à volonté. Servir très chaud dans des verres à punch. Ceux qui préfèrent un goût plus corsé ne mettront pas d'eau dans le mélange.

PUNCH CAFÉ

POUR 2 PERSONNES

50 cl de café fort venant d'être passé

50 cl de porto blanc

50 cl de rhum

Environ 100 g de sucre candi brun

Après le repas du soir, en bavardant, le punch café vous revigorera.
Mettre le café dans une casserole, ajouter le porto et le

Punch café

rhum, faire frémir le mélange en prenant garde de ne pas faire bouillir. Ajouter, peu à peu, le sucre candi et goûter de temps en temps. Certains aiment le punch sucré tandis que d'autres le préfèrent avec très peu de sucre. Lorsque le sucre a complètement fondu, servir dans des verres à petit pied. On peut également servir ce punch dans des verres à punch ou des tasses à café.

PUNCH CARAMEL

POUR 3 À 4 PERSONNES

300 g de sucre

50 cl de thé fort

75 cl de jus de raisin

Le jus d'un citron

Faire caraméliser le sucre dans la poêle et mélanger avec le thé. Faire chauffer jusqu'à ce que le sucre ait fondu. Ajouter le jus de raisin. Passer

le jus de citron et l'ajouter. Laisser macérer le punch dix à quinze minutes environ. Faire chauffer encore une fois juste avant de servir, mais ne pas laisser bouillir. Servir dans des verres à punch.

PUNCH CRÉOLE

2 à 3 cubes de glace

2 à 3 cuillerées à café de sirop de sucre

Le jus d'un demi-citron

5 cl de porto

1 trait d'eau-de-vie de vin

2 à 3 cubes de glace

1 cuillerée à dessert de fruits de saison

Piler la glace. La mettre dans un tumbler contenant le sirop de sucre, le jus de citron, le porto et l'eau-de-vie de vin et bien remuer. Emplir un grand

verre de glace pilée.
Verser par-dessus le contenu du tumbler. Remuer avec une cuiller à mélange jusqu'à ce que la glace embue le verre. Décorer ensuite avec les fruits et servir avec une paille.

PUNCH DE NUREMBERG

POUR 4 À 6 PERSONNES

4 morceaux de sucre

2 oranges

300 g de sucre en poudre

1 bouteille de vin rouge corsé

25 cl d'arack

Le vrai punch comporte, en principe, cinq ingrédients, comme l'indique le nom indien «pantscha» qui signifie «cinq». L'acide, qui constitue le cinquième ingrédient chez les Indiens, sera remplacé, ici, par l'arôme d'une écorce râpée d'orange.
Frotter les morceaux de sucre sur l'écorce d'une orange. Mettre, dans une casserole, le jus de deux oranges avec le sucre en poudre. La remplir de vin rouge et d'arack, faire frémir et servir sans attendre.

CONSEIL

Vous pouvez aussi ajouter des tranches d'orange, de la liqueur d'orange (5 à 10 cl) des clous de girofle, de la cannelle et du muscat. Vous verrez, c'est délicieux!

Punch créole

PUNCH FRANÇAIS

POUR 6 À 8 PERSONNES

750 g de sucre
1 litre de rhum
75 cl de thé noir très chaud
Le jus de cinq citrons sans la pulpe
Le jus de cinq oranges sans la pulpe

Mettre le sucre dans une marmite en cuivre et verser le rhum par-dessus. Flamber jusqu'à ce que le sucre devienne roux et soit au tiers fondu. Ajouter, alors, le thé noir très chaud, et les jus d'orange et de citron. Remuer et servir dans des verres à punch.
Afin que le punch reste chaud longtemps, le placer sur un réchaud.

PUNCH IMPÉRIAL 1

POUR 5 À 6 PERSONNES

350 g de sucre candi
50 cl d'eau
1/2 cl d'arack
1 litre et demi de vin blanc
L'écorce râpée et le jus de deux oranges
Le zeste râpé et le jus d'un citron

Concasser le sucre candi et le mettre dans une casserole. Ajouter l'eau et y faire fondre le sucre à feu doux. Ajouter tous les autres ingrédients et faire frémir. Servir dans des verres à punch réchauffés.

PUNCH DU CHASSEUR

POUR 6 À 8 PERSONNES

1 orange
1 citron
10 à 15 morceaux de sucre
400 g de sucre en poudre
50 cl d'arack
1 bouteille de vin blanc
1/2 bouteille de xérès
1/2 bouteille de mousseux

Un punch qui sera apprécié au retour de la chasse, mais attention à ne pas en abuser si l'on est à jeun.
Frotter les morceaux de sucre sur le zeste de citron et l'écorce d'orange, puis mettre le tout dans un récipient à punch. Verser l'arack par-dessus, faire flamber jusqu'à ce que le sucre fonde tout à fait. Faire chauffer le vin blanc, le xérès et le mousseux, en prenant garde de ne pas faire bouillir, verser dans le mélange arack-sucre et remuer. Présenter dans des verres à punch.

Punch français

Punch impérial 2

PUNCH IMPÉRIAL 2

POUR 6 À 8 PERSONNES

Le jus de cinq oranges

Le jus de trois citrons

5 ou 6 fines tranches d'orange

Le zeste d'un citron

5 cl d'arack

Sucre à volonté

3 bouteilles de champagne frais

Mettre, dans un récipient, les jus d'orange et de citron, les tranches d'orange et le zeste de citron, ainsi que l'arack. Mélanger avec du sucre, selon le goût. Couvrir et placer dix minutes au réfrigérateur. Verser dans un récipient pour punch froid. Compléter avec le champagne juste avant de servir.

PUNCH ROUX

POUR 4 PERSONNES

350 g de sucre

Le zeste râpé de deux citrons

1 bouteille de vin blanc

50 cl d'eau chaude

Le jus de deux citrons

Mettre le sucre et le zeste de citron dans une casserole. Faire roussir en remuant. Ajouter le vin blanc et le rhum. Sitôt le sucre dissous, verser l'eau chaude et le jus de citron. Servir dans des verres à punch ou à thé. Cette boisson est tout aussi délicieuse froide. On la servira alors dans de grands verres.

ROCKY MOUNTAINS PUNCH

2 à 3 cubes de glace

2,5 cl de rhum

1,5 cl de jus de citron

1 cl de marasquin

2 à 3 cubes d'ananas

2 à 3 fraises

1 à 2 cerises

Champagne pour remplir le verre

Mettre la glace, le rhum, le jus de citron et le marasquin dans le shaker. Secouer énergiquement quelques secondes, puis vider dans un verre à punch. Décorer avec les cubes d'ananas, les fraises et les cerises. Servir avec une paille et une cuiller.

Punch roux

Rocky mountains punch

SANGRIA

POUR 4 À 6 PERSONNES

3 pêches

50 g de sucre

5 cl d'eau-de-vie de vin

1 litre et demi de vin rouge

1 bâton de cannelle

30 g de fleurs de muscade

1 spirale de zeste de citron

La Sangria compte parmi les vins aromatisés les plus connus. Beaucoup de touristes passant leurs vacances en Espagne reviennent chez eux avec, dans leurs valises, la recette spéciale de la Sangria. Éplucher les pêches, les couper en deux, et enlever le noyau. Les détailler en fines lamelles et les mettre dans un bol à punch avec le sucre et l'eau-de-vie de vin. Mettre, dans un autre récipient, le vin rouge, le bâton de cannelle, les fleurs de muscade et la spirale de zeste de citron. Couvrir et faire macérer deux heures. Passer, puis verser sur les pêches. Servir bien frais avec une cuiller.

XALAPA PUNCH

POUR 6 À 8 PERSONNES

Le zeste râpé de deux citrons

2 litres de thé fort et très chaud

200 à 250 g de sucre

75 cl de calvados

75 cl de rhum de Cuba

75 cl de vin rouge

1 citron

1 cube de glace (d'un demi-litre d'eau)

Mettre le zeste râpé dans un grand plat. Verser le thé chaud par-dessus, couvrir et laisser infuser dix à quinze minutes. Passer dans un grand récipient à punch. Ajouter le sucre et remuer afin de le dissoudre. Couvrir et laisser refroidir. Ajouter le calvados, le rhum et le vin rouge. Couper le citron en fines rondelles et l'ajouter, ainsi que le cube de glace, à la préparation. Remuer doucement le tout. Servir avec une paille dans des verres à punch.

Sangria

Bourbon cocktail

ADMIRAL HIGHBALL

3 cubes de glace

4 cl de tokay

2 cl de whisky

1 cuillerée à café de sirop d'ananas

1 cuillerée de jus de citron sans pulpe

Eau gazeuse

Mélanger la glace et les autres ingrédients dans une grande coupe. Remuer avec une longue cuiller, transvaser dans un autre verre et finir de remplir avec l'eau gazeuse. Concasser la glace et en remplir une coupe à champagne jusqu'à la moitié environ. Ajouter les autres ingrédients et bien mélanger le tout à l'aide d'une longue cuiller. Servir avec une paille.

BLACKTHORNE

2 cl de whisky irlandais

2 cl de vermouth dry

2 doigts de Pernod

2 doigts de bitter orange

Mélanger tous les ingrédients dans un verre à mélange et transvaser dans un verre à cocktail. Ne pas mettre de glaçons pour ne pas affadir le goût.

BLUE BLAZER

3 morceaux de sucre

5 cl de whisky

5 cl d'eau très chaude

Le Blue blazer exerce un charme envoûtant avec sa flamme. Une partie du taux élevé d'alcool disparaît grâce au flambage.
Mettre les morceaux de sucre dans une coupe en argent ou en métal, verser le whisky au-dessus et flamber. Laisser flamber environ deux minutes puis verser l'eau chaude. Si vous préparez ce cocktail pour plusieurs personnes, il sera préférable d'utiliser une casserole en cuivre ou une marmite avec un manche bien isolé qui ne risque pas de vous brûler.

BOISSON DU BÛCHERON CANADIEN

12,5 cl litre de jus de pomme

2 à 3 cuillerées à café de sucre roux

1 à 2 clous de girofle

1/2 bâton de cannelle

1 zeste de citron

5 cl de whisky

Faire frémir, dans une casserole, le jus de pomme, le sucre roux, les clous de girofle, la cannelle et le zeste de citron. Réchauffer le whisky et le verser dans un verre à punch. Transvaser le mélange de jus de pomme et d'aromates dans le verre. Servir avec une cuiller.

BASE DE WHISKY

BOURBON COCKTAIL

2 cubes de glace

2 cl de bourbon

1 cl de jus de citron

1 cl de bénédictine

1 cl de curaçao triple sec

1 trait d'angustura

Pour les mélanges, on préfère le bourbon qui se marie très bien avec les autres ingrédients.
Piler la glace et la mettre dans le shaker. Ajouter tous les autres ingrédients. Bien secouer et servir dans un verre à cocktail.

BOURBON HIGHBALL

4 cubes de glace

2 cl de bourbon

Eau de Seltz ou ginger ale

1 écorce de citron découpée en spirale

Mettre les glaçons dans un verre à long drink moyen, verser le bourbon dessus et ajouter, selon le goût, l'eau de Seltz ou la ginger ale.
Accrocher la spirale de citron au bord du verre et servir avec une paille.

BOURBON SOUR

2 cubes de glace

5 cl de bourbon

2,5 cl de jus de citron sans pulpe

2 cuillerées à café de sirop de sucre

1 trait d'angustura bitter

Eau de Seltz

1 rondelle de citron

Piler la glace et la mettre dans le shaker. Verser dessus le bourbon, le jus de citron et le sirop de sucre. Après avoir bien secoué, verser dans une coupe et compléter avec l'eau de Seltz. Décorer avec la rondelle de citron qu'on mettra sur le bord du verre.

British lion's

BRITISH LION

12 cl d'eau très chaude

4 cl de scotch

1 cuillerée à dessert de sirop de cerise

1 cuillerée à dessert de jus de citron,

1 zeste de citron.

Une boisson qui saura vous réconforter un soir d'automne après une journée morose.
Verser l'eau très chaude dans un verre réchauffé à grog ou à punch ; ajouter le scotch, le sirop de cerise, le jus de citron et le zeste, puis servir aussitôt.

Bourbon sour

Brooklyn

BROOKLYN

2 cubes de glace
3 traits de Picon
1 cl de marasquin
2 cl de whisky
2 cl de vermouth dry
1 cerise à cocktail

Mettre les glaçons et les alcools dans le shaker et bien mélanger. Verser dans un verre à cocktail et décorer avec la cerise.

BYHRR-COCKTAIL

1,5 cl de Byhrr
1,5 cl de rye whisky
1,5 cl de vermouth rouge
2 à 3 cubes de glace

On pourra aussi servir cet apéritif le matin. Mélanger tous les ingrédients dans le verre à mélange. Verser dans une timbale moyenne.

CAP KENNEDY

2 cubes de glace
2 cl de jus de citron
2 cl de jus d'orange
1 cuillerée à café de sirop de sucre
1 cuillerée à café de whisky
1 cuillerée à café de bénédictine
1 cuillerée à café de rhum

Un cocktail original, presque osé, qui nous vient d'Amérique.
Mettre la glace dans le shaker. Verser tous les autres ingrédients par-dessus, bien secouer et servir dans un verre à cocktail ou une coupe.

C & S

2 cubes de glace
2,5 cl de chartreuse verte
2,5 cl de scotch

Remplir un grand verre de tous les ingrédients et bien remuer. Servir dans un autre verre.

COCKTAIL AU SIROP D'ÉRABLE

2 cubes de glace
2,5 cl de whisky
1,5 cl de jus de citron
1,5 cl de sirop d'érable
1 rondelle de citron

Piler la glace et la mettre dans le shaker. Ajouter le whisky, le jus de citron et le sirop d'érable. Bien agiter le shaker et vider le tout dans un verre à cocktail. Fixer la rondelle de citron sur le bord du verre.

Cap Kennedy

COW-BOY

3 cl de whisky
2 cl de crème fraîche
2 cuillerées à dessert de glace finement pilée

Mettre le tout dans le shaker et secouer. Verser dans une coupe ou une timbale en retenant la glace et servir avec une paille.

Dixie

les feuilles de menthe et secouer énergiquement. Servir dans des verres à cocktail. Décorer avec les feuilles de menthe.

FANCIULLI

2 à 3 cubes de glace

1 cl de Fernet branca

1,5 cl de vermouth rosso

2,5 cl de bourbon

Cette boisson stimulante est meilleure avant le repas. Mettre, dans le shaker, tous les ingrédients dans l'ordre de la recette. Secouer énergiquement et servir dans un verre à cocktail en retenant les glaçons.

Fanciulli

DIXIE

POUR 6 PERSONNES

2 à 3 cubes de glace

1 cuillerée à café de jus de citron

24 cl de rye whisky

2 cuillerées à café de sucre

2 traits d'angustura

1 cuillerée à café de curaçao

2 cuillerées à café de crème de menthe blanche

Feuilles de menthe pour décorer

Mettre la glace et le jus de citron dans le shaker. Ajouter les autres ingrédients, excepté

Last but not the least

HIGHBALL AU GINGEMBRE

3 à 4 cubes de glace
4 cl de whisky
2 à 3 petits morceaux de gingembre vert
Eau de Seltz ou ginger ale

Mettre la glace dans un grand gobelet, verser le whisky par-dessus. Ajouter les morceaux de gingembre et remplir le verre au choix avec de l'eau de Seltz ou du ginger ale.

HOT ITALY

4 à 5 cubes de glace
4 cl de whisky
Vermouth rosso
1 trait d'angustura
1 zeste de citron

Voici un cobbler qui rafraîchit et réchauffe en même temps. La glace rafraîchit tandis que le vermouth procure une sensation de chaleur.
Râper finement la glace, et en remplir un grand gobelet jusqu'à la moitié environ. Verser le whisky par-dessus, compléter à volonté avec le vermouth, ajouter l'angustura et arroser de gouttes de citron en pressant sur le zeste.

GOLDEN DAISY COCKTAIL

2 à 3 cubes de glace
Le jus d'un citron
1 cl de Cointreau
3 cl de whisky
1 à 2 cuillerées à café de sirop de sucre
Eau de Seltz

Ce cocktail est à la fois stimulant et sain. Mettre la glace dans le shaker. Verser les ingrédients par-dessus, excepté l'eau de Seltz, et secouer. Vider dans un verre à cocktail. Remplir d'eau de Seltz. Ce cocktail se prépare également au mixer.

GUILLOME SOUR

2 cubes de glace
1 cuillerée à café de sirop de sucre
Le jus d'un demi-citron
4 cl de scotch
2 cuillerées à café de crème fraîche
Eau de Seltz
3 cerises à cocktail

Le Guillome sour est un long drink pour les chaudes soirées estivales.
Piler la glace et la mettre dans le shaker. Verser, par-dessus, le sirop de sucre, le jus de citron, le whisky et la crème fraîche ; bien secouer pendant une ou deux minutes, vider dans un gobelet et compléter avec l'eau de Seltz. Mettre les cerises à cocktail dans le verre et servir avec une paille et une cuiller.

Knickebein

KNICKEBEIN

Cherry brandy
1 jaune d'œuf
Scotch

C'est dans le pied du verre qu'on verse le cherry brandy. Il s'agit, en fait, d'un verre spécial dont le pied est creux. On met, ensuite, le jaune d'œuf sur le trou à l'entrée du pied et on remplit le verre de scotch. On sert avec une paille et une cuiller.

Lieutenant cocktail

LAST BUT NOT LEAST

2 cubes de glace

4 cl de whisky

2 cuillerées à dessert de jus de tomate

3 cuillerées à dessert de crème fraîche

2 doigts de tabasco

1 olive dénoyautée

Sel et paprika

Mettre la glace dans le shaker. Verser le whisky, le jus de tomate, la crème fraîche et le tabasco, frapper, et vider dans un gobelet. Saupoudrer d'un peu de sel et de paprika. Piquer l'olive sur un bâtonnet qu'on posera sur le verre. Laisser le sel et le paprika à portée de la main au cas où des invités voudraient encore renforcer le goût de ce drink. Servir avec une paille.

LIEUTENANT COCKTAIL

2 cubes de glace

3 cl de bourbon

1 cl d'abricot brandy

1 cl de jus de pamplemousse

1 cuillerée à café de sirop de sucre

1 cerise à cocktail

Il est conseillé de prendre du bourbon, mais le whisky peut faire l'affaire. Mettre la glace dans le shaker. Ajouter les autres ingrédients, excepté la cerise, frapper et verser dans un verre à cocktail. Décorer avec la cerise. Servir avec un bâtonnet pour la déguster.

MANGO GLORY

2 à 3 cubes de glace

1 blanc d'œuf

2 cl de sirop de mangue

1 cuillerée à café d'angustura

1 cuillerée à café de Pernod

3 cl de whisky

Eau de Seltz pour remplir le verre

Voici un long drink mousseux et rafraîchissant que vous pourrez vous préparer les soirs d'été. En outre, il fait partie des cocktails raffinés que tout le monde ne connaît pas encore. Mettre la glace dans le shaker. Ajouter le blanc d'œuf, le sirop de mangue, l'angustura, le Pernod et le whisky. Secouer énergiquement quelques secondes et verser dans un petit gobelet. Compléter avec l'eau de Seltz Remuer et servir avec une paille.

MANHATTAN DRY

2 à 3 cubes de glace

4 cl de whisky canadien

1 cl de vermouth dry français

1 trait d'angustura

1 zeste de citron ou une cerise à cocktail

Mettre la glace, le whisky, le vermouth et l'angustura dans

Manhattan sweet et Manhattan dry

un verre à mélange. Bien mélanger et vider dans un verre à cocktail. Décorer avec un zeste de citron ou une cerise, et dans ce cas servir avec un petit bâtonnet.

MANHATTAN SWEET

2 à 3 cubes de glace

2,5 cl de whisky canadien

1,5 cl de vermouth bianco

1 cl de vermouth dry français

1 trait d'angustura

1 cerise à cocktail

Mettre la glace, le whisky, le vermouth et l'angustura dans un verre à mélange, bien remuer et vider dans un verre à cocktail. Selon le goût, décorer avec une cerise à cocktail. Servir avec un bâtonnet pour déguster la cerise.

MARY OF SCOTLAND

Le jus d'un demi-citron

2 cuillerées à dessert de sucre

3 à 4 cubes de glace

2 cl de scotch

1,5 cl de drambuie

1,5 cl de chartreuse verte

1 cerise à cocktail

Mettre le jus de citron dans une soucoupe et le sucre dans une autre. Tremper le bord d'un verre à cocktail dans le jus de citron, laisser égoutter quelques secondes, puis le tremper dans le sucre. Faire tourner le verre dans le sucre, puis retourner le verre et laisser sécher le bord givré. Mettre tous les ingrédients dans le shaker, excepté la cerise à cocktail. Secouer énergiquement quelques secondes et vider dans le verre givré. Garnir d'une cerise à cocktail et servir avec un bâtonnet.

MÉLODIE

2 à 3 cubes de glace

1,5 cl de crème fraîche

2 cl de crème de banane

1,5 cl de bourbon

Le cocktail Mélodie est préparé avec du bourbon, parce qu'il dégage plus d'arôme que le whisky.
Mettre la glace, la crème fraîche, la crème de banane et le bourbon dans un shaker. Secouer énergiquement. Servir dans un verre à cocktail avec une paille.

MINT COCKTAIL

2 à 3 cubes de glace

2 branches de menthe fraîche

5 cl de whisky bitter

1 trait d'orange

1 trait d'angustura

1 trait d'anisette

1 cuillerée à café de sucre

Mettre la glace et tous les ingrédients dans le shaker et bien secouer. Servir dans un verre à cocktail.

Mint julep

Mary of Scotland

MINT JULEP

4 à 5 cubes de glace

10 petites feuilles de menthe jeunes et tendres

1 cuillerée à café de sirop de sucre

2 à 3 traits d'angustura

5 cl de bourbon

1 branche de menthe

«Le bourbon et la menthe sont comme un couple d'amoureux», dit le poète Judge S. Smith. Les Américains savent combien ils se marient admirablement. Le Mint julep est un rafraîchissement de tradition ancienne. En principe, on le sert dans des gobelets refroidis en argent. On peut, cependant, le boire aussi dans des verres. Mais il faut qu'ils soient refroidis et qu'une couche de givre se soit formée sur la paroi.
Piler finement la glace et en mettre la moitié dans un grand verre refroidi. Écraser la menthe dans le sirop de sucre et l'angustura.
Mélanger avec le bourbon et verser sur la glace. Ajouter le reste de glace par-dessus. Garnir d'une branche de menthe et servir.

MORNING GLORY FIZZ

2 à 3 cubes de glace

Le jus d'un citron

1 cuillerée à café dé Pernod

5 cl de bourbon

1 blanc d'œuf

Eau de Seltz

Si ce long drink est trop fort à votre goût, remplacez le Pernod par de la liqueur d'anisette.
Piler la glace et la mettre dans le shaker. Ajouter le sucre, le jus de citron, le Pernod, le bourbon et le blanc d'œuf. Envelopper le shaker dans une serviette et agiter fortement une à deux minutes. Passer le contenu dans un grand verre ou dans un verre ballon. Compléter avec l'eau de Seltz. Servir avec une paille.

MORNING GLORY

2 à 3 cubes de glace

2 cl de whisky

2 cl d'eau-de-vie de vin

1 trait de Pernod

2 traits de curaçao

2 cuillerées à café de sirop de sucre

Eau de Seltz

Sucre en poudre

1 ruban de zeste de citron

Mettre la glace, le whisky, l'eau-de-vie de vin, le Pernod, le curaçao et le sirop de sucre dans un verre à mélange. Bien remuer et vider dans un

Morning glory et Morning glory fizz

grand verre à cocktail, un verre ballon ou un gobelet. Compléter avec l'eau de Seltz et remuer avec une longue cuiller humide passée dans le sucre en poudre. Décorer avec le ruban de zeste.

MONTE CARLO

2 à 3 cubes de glace

4 cl de whisky canadien

1 cl de bénédictine

2 traits d'angustura

Mettre la glace et tous les ingrédients dans le shaker. Secouer énergiquement quelques secondes et servir dans une coupe à champagne.

OLD FASHIONED COCKTAIL

1 cuillerée à café de sucre

2 traits d'angustura

1 cuillerée à café d'eau

2 à 3 cubes de glace

5 cl de whisky ou de bourbon

1 tranche d'orange

1 cerise à cocktail avec la queue

Ce drink compte parmi les before-dinner-drinks, tout comme le Old Pale cocktail et le Old time appetizer. Tous les trois sont à base de whisky. Comme le goût du whisky est assez fort, on peut, et cela se fait souvent, en diminuer la quantité. Comme pour beaucoup de cocktails, on préférera, comme ici, utiliser du bourbon qui se marie très bien avec les autres alcools. Bien remuer le sucre, l'angustura et l'eau dans un grand verre (verre à Old-fashioned). Ajouter la glace et le whisky, puis remuer. Décorer avec la tranche d'orange et la cerise. Servir avec une longue cuiller.

Monte Carlo

Paddy

OLD PALE COCKTAIL

2 à 3 cubes de glace

1 cl de Campari

1 cl de vermouth dry français

3 cl de bourbon

1 zeste de citron

Mettre la glace, le Campari, le vermouth et le bourbon dans un verre à mélange. Arroser de quelques gouttes d'essence de citron en pressant le zeste entre le pouce et l'index. Selon le goût, on peut aussi mettre le zeste dans le verre.

OLD TIME APPETIZER

2 à 3 cubes de glace

2 cl de bourbon

2 cl de Dubonnet

2 traits de Pernod

1 trait d'angustura

2 tranches d'orange

1/2 tranche d'ananas

1 zeste de citron

Mettre la glace, le bourbon, le Dubonnet, le curaçao, le Pernod et l'angustura dans une coupe ou un gobelet moyen. Bien remuer. Ajouter les tranches d'orange, la demi-tranche d'ananas et le zeste de citron et servir avec une cuiller.

OUVERTURE

1 à 2 cubes de glace

3 cl de whisky

1 cl de grenadine

1 cl de vermouth rosso

1 cerise à cocktail

Mettre d'abord la glace dans le shaker. Verser, par-dessus, les autres ingrédients, excepté la cerise, secouer brièvement mais énergiquement, vider dans un verre à cocktail et décorer avec la cerise. Servir avec un bâtonnet pour la cerise.

PADDY

2 à 3 cubes de glace

1 trait d'angustura

2,5 cl de vermouth rosso

2,5 cl de whisky irlandais

Ce cocktail se sert en apéritif avant le dîner. Mettre la glace dans un verre à mélange. Ajouter l'angustura, le vermouth et le whisky. Remuer avec une longue cuiller et servir dans une coupe.

De gauche à droite : Old pale cocktail, Old time appetizer, Old fashioned cocktail

PENDENNIS EGGNOG

POUR 4 À 6 PERSONNES

40 cl de bourbon

250 g de sucre

6 œufs

1 litre de crème fraîche

Cet eggnog est très nourrissant et il remplacera facilement un goûter.
Mélanger le bourbon et le sucre dans un plat. Séparer les jaunes et les blancs. Battre les jaunes jusqu'à obtenir une pâte mousseuse. Ajouter cette mousse au whisky sucré à l'aide d'une cuiller à soupe. Battre les blancs et la crème fraîche séparément. Prendre six cuillers à dessert de crème fouettée et quatre d'œufs battus en neige, les mélanger et les laisser en attente. Mélanger d'abord la crème, puis les œufs en neige, à la mousse. Mettre dix minutes au réfrigérateur. Verser dans des verres à anse.

Pour finir, remplir chaque verre un peu du mélange crème fouettée-œufs en neige, puis servir avec une paille.

PUNCH ÉCLAIR

POUR 2 PERSONNES

Le jus passé d'un demi-citron

2 cuillerées à café de sucre en poudre

12 cl de whisky

Eau bouillante

1 cl d'eau-de-vie de prune

Ce punch est préparé en un temps éclair et il revigore d'une façon extraordinaire.
Mélanger le jus de citron et le sucre en poudre dans une coupe, ajouter le whisky et vider le contenu dans un verre à grog ou à punch qu'on aura auparavant fait chauffer ; compléter avec l'eau bouillante, bien remuer et ajouter l'eau-de-vie de prunes.

Punch éclair

91

Rabbit's revenge

RABBIT'S REVENGE

2 à 3 cubes de glace
3 cl de bourbon
2 cl de jus d'ananas
2 à 3 traits de grenadine
Tonic water pour remplir le verre
1 tranche d'orange pour décorer

Mettre la glace, le bourbon, le jus d'ananas et la grenadine dans le shaker. Bien secouer et verser dans un gobelet ou un petit verre à anse. Compléter avec le tonic water. Servir avec une tranche d'orange sur le bord du verre pour décorer et une paille.

Red shadow

RED SHADOW

2 à 3 cubes de glace

3 traits de jus de citron

1 cl d'abricot brandy

1 cl de cherry brandy

3 cl de whisky

Mettre la glace, le jus de citron, l'abricot brandy, le cherry brandy et le whisky dans le shaker. Secouer énergiquement et servir dans un verre à cocktail.

RICKEY

1 petit citron

5 cl de whisky

Eau de Seltz

Couper le citron en deux parties égales qu'on mettra dans un grand gobelet. Extraire le jus en pressant avec une longue cuiller. Verser le whisky, puis compléter avec l'eau de Seltz. Servir avec une longue cuiller.

RYE COCKTAIL

2 à 3 cubes de glace

5 cl de rye

2 traits d'angustura

2 à 3 traits de grenadine

1 cerise à cocktail

Mettre la glace et tous les ingrédients, excepté la cerise, dans un verre à mélange. Bien remuer à l'aide d'une longue cuiller et vider dans un verre à cocktail. Ajouter la cerise dans le verre et servir avec un bâtonnet.

Rickey

RYE DAISY

3 à 4 cubes de glace

1 cuillerée à café de sirop de sucre

1 cl de jus de citron

2 cl de chartreuse jaune

4 cl de rye

Eau de Seltz pour remplir le verre

1 cuillerée à dessert de morceaux de pêche ou d'un autre fruit

Mettre la glace dans le shaker. Ajouter le sirop de sucre, le jus de citron, la chartreuse jaune et le rye. Bien secouer le shaker, passer le contenu dans un verre à cocktail et compléter avec l'eau de Seltz. Décorer avec les fruits et servir avec paille et cuiller.

RYE PUNCH

4 à 5 cubes de glace

2 cuillerées à café de jus de citron

4 cuillerées à café de sucre

8 cl de rye

1 tranche d'orange

Piler finement la glace et la mettre dans le shaker. Ajouter tous les ingrédients, excepté la tranche d'orange. Bien secouer et verser dans un grand gobelet. Décorer avec la tranche d'orange. Servir avec une paille.

Scotch cooler

Saratoga fizz

SCOTCH COOLER

3 à 4 cubes de glace

2,5 cl de jus de citron

5 cl de scotch

1 cuillerée à café de sirop de sucre ou de sucre en poudre

Ginger ale glacé

Tout comme les fizz, les coolers doivent être servis glacés. Piler grossièrement la glace et la mettre dans le sha-ker. Ajouter tous les autres ingrédients, sauf le ginger ale. Envelopper le shaker dans une serviette et bien le secouer. Verser son contenu dans un gobelet moyen. Compléter par le ginger ale et servir avec une paille.

SARATOGA FIZZ

2 à 3 cubes de glace

1,5 à 2 cl de jus de citron passé

2 cuillerées à café de jus de limette

2 cuillerées à café de sucre

5 cl de bourbon

1 blanc d'œuf

1 cerise à cocktail

Eau de Seltz

Concasser la glace et la mettre dans le shaker. Ajouter tous les autres ingrédients, excepté la cerise. Envelopper le shaker dans une serviette et secouer énergiquement une à deux minutes. Verser le contenu dans un grand gobe-let et ajouter la cerise. Compléter avec l'eau de Seltz.

De gauche à droite : Rye daisy, Rye punch, Rye cocktail

95

Sheepshead cocktail

SOUL KISS COCKTAIL

2 à 3 cubes de glace

1 cl de jus d'orange

1 cl de Dubonnet

1 cl de vermouth dry français

2 cl de bourbon

1 tranche d'orange

1 écorce d'orange

Mettre la glace, le jus d'orange, le Dubonnet, le vermouth dry, le whisky et la tranche d'orange dans le shaker. Secouer énergiquement quelques secondes, puis vider dans un verre à cocktail ou un gobelet. Aromatiser de quelques gouttes d'essence d'orange en pressant l'écorce entre le pouce et l'index, puis servir.

SPECIAL FIZZ

3 cubes de glace

3 cl de whisky

Le jus d'un demi-citron

1 trait d'angustura

1 cuillerée à café de sucre

Eau de Seltz

Piler grossièrement la glace et la mettre dans le shaker. Verser le whisky, le jus de citron, l'angustura et le sucre par-dessus. Envelopper le shaker dans une serviette et bien secouer. Verser le contenu du shaker dans un grand gobelet et compléter avec l'eau de Seltz, à volonté. On peut, selon le goût, diminuer ou augmenter la quantité de jus de citron.

SHEEPSHEAD COCKTAIL

3 cubes de glace

1 cuillerée à café de bénédictine

1,5 cl de vermouth rosso

3,5 cl de bourbon

1 zeste de citron

1 cerise à cocktail

Mettre les trois glaçons dans un verre à cocktail. Ajouter la Bénédictine, le vermouth et le bourbon. Remuer à l'aide d'une cuiller à mélange, vider le contenu du shaker dans un gobelet. Aromatiser le cocktail de quelques gouttes d'es-

sence de citron en pressant le zeste entre le pouce et l'index. Garnir d'une cerise et servir avec un bâtonnet et une paille.

Special fizz

96

STROMBOLI

3 à 4 cubes de glace

5 cl de bourbon

1 cuillerée à café de sirop de sucre

3 traits d'angustura

3 cerises à cocktail

1 fine tranche d'orange

1 fine rondelle de citron

Le whisky et les fruits se marient bien et le Stromboli le prouve.
Mettre la glace, le whisky, le sirop de sucre et l'angustura dans un petit gobelet. Bien remuer tous les ingrédients à l'aide d'une longue cuiller à mélange. Garnir avec les cerises, la tranche d'orange et la rondelle de citron. Servir avec une paille et une cuiller.

Stromboli

SWEET LADY COCKTAIL

2 à 3 cubes de glace

1,5 cl de brandy de pêche

2 cl de crème de cacao

1,5 cl de whisky

Le Sweet Lady cocktail pourra se servir en digestif après un bon dîner.
Mettre la glace, le brandy de pêche, la crème de cacao et le whisky dans un shaker.
Secouer énergiquement, puis servir dans un verre à cocktail.

THÉ ÉCOSSAIS

Pour 4 personnes

20 cl de scotch

50 cl de thé fort et très chaud

4 à 8 cuillerées à café de sucre

6 cuillerées à dessert de crème chantilly

1 pincée de noix de muscade

Verser, à chaque fois 5 cl de scotch dans quatre grandes tasses. Les remplir de thé chaud, mettre une à deux cuillerées à café de sucre dans chaque tasse et remuer. Aromatiser la crème avec une pincée de noix de muscade râpée. Surmonter chaque tasse d'un dôme de cette crème chantilly aromatisée.

TRACE DE BARBARES

2 cl de whisky

1 cl de gin

1 cl de rhum

1 cl de crème de cacao noir

1 cl de crème fraîche

1 zeste de citron

Un cocktail qui n'est certes pas barbare mais convient mieux au goût des hommes. Bien mélanger tous les ingrédients dans le shaker ; servir dans un verre à cocktail et arroser de citron.

UP-TO-DATE

2 à 3 cubes de glace

2,5 cl de xérès

2,5 cl de rye

2 traits de Grand Marnier

2 traits d'angustura

1 zeste de citron éventuellement

L'Up-to-date, à base de whisky, est à servir avant le repas. Mettre tous les ingrédients, dans l'ordre indiqué, dans un verre à mélange. Bien remuer à l'aide d'une longue cuiller à mélange, puis vider dans un verre à cocktail. Selon le goût, arroser de quelques gouttes d'essence de citron en pressant le zeste entre le pouce et l'index, ou décorer tout simplement avec le zeste.

Veuve joyeuse

VEUVE JOYEUSE

2 cl de whisky

2 cl de cherry brandy

4 cl de lait en conserve

1 cuillerée à dessert de glace à la fraise

Passer tous les ingrédients au mixer et servir dans un verre ballon avec une paille.

WHISKY COCKTAIL

2 à 3 cubes de glace

5 cl de whisky

2 traits d'angustura

1/2 cuillerée à café de sirop de sucre

1 cerise à cocktail avec la queue

Il est conseillé de servir le Whisky cocktail avant le repas.
Mettre tous les ingrédients, excepté la cerise à cocktail, dans le shaker. Secouer énergiquement quelques secondes, puis servir dans un verre à cocktail.

WHISKY COOLER

2 à 3 cubes de glace

2,5 cl de jus de citron

1 cuillerée à café de sucre

5 cl de whisky

Ginger ale bien frais

1 à 2 cubes de glace éventuellement

Ce cooler rafraîchissant compte parmi les long drinks et, tout comme eux, il est préparé avec du jus de citron. Mettre la glace, le jus de citron, le sucre et le whisky dans le shaker. Secouer énergiquement quelques secondes. Verser dans un grand gobelet, puis compléter avec le ginger ale. Rajouter, selon le goût, un ou deux glaçons.

De gauche à droite : Whisky cocktail, Whisky soda, Whisky sour

WHISKY JULEP

2 cuillerées à dessert d'eau froide

2 cuillerées à café de sucre

2 brins de menthe fraîche

2 à 3 cubes de glace

5 cl de whisky

1 brin de menthe fraîche

3 à 4 grains de raisin

2 à 3 cerises

Verser l'eau dans un gobelet moyen et y dissoudre le sucre. Bien y écraser les deux brins de menthe avec une cuiller à mélange. Les retirer. Concasser la glace et la mettre dans le verre. Verser le whisky par-dessus. Mélanger avec une longue cuiller jusqu'à ce que le verre se couvre de buée. Mettre un brin de menthe au milieu. Décorer avec les grains de raisin et les cerises. Servir avec une paille et une cuiller.

WHISKY PUNCH

POUR 4 PERSONNES

Le zestes de deux citrons

10 morceaux de sucre

Le jus de deux citrons

250 à 275 g de sucre

50 cl d'eau

50 cl de whisky écossais

WHISKY SOUR

2 à 3 petits cubes de glace

Le jus d'un demi-citron

1,5 cl de jus d'orange

2 cuillerées à café de sucre

5 cl de bourbon

1 quartier de citron

1 quartier d'orange

3 cerises à cocktail

Eau de Seltz

Les sours comptent parmi les long drinks.
Mettre la glace, les jus de citron et d'orange, le sucre et le bourbon dans le shaker. Envelopper le shaker dans une serviette, puis secouer très fort pendant une ou deux minutes. Verser dans un gobelet moyen. Mettre le quartier de citron et le quartier d'orange, ainsi que la cerise, dans le verre. Ajouter, selon le goût, quelques gouttes d'eau de Seltz.

YORK COCKTAIL

2 à 3 cubes de glace

4 cl de whisky

1 cl de vermouth rosso

2 à 3 traits d'angustura

1 zeste de citron

Mettre la glace, le whisky, le vermouth et l'angustura dans un verre à mélange. Bien remuer avec une longue cuiller. Vider dans un verre à cocktail, puis arroser de quelques gouttes de citron en pressant le zeste entre le pouce et l'index.

Frotter les morceaux de sucre sur les zestes de citron et mettre le tout dans une casserole avec les autres ingrédients. Faire frémir tout en remuant. Vider dans des verres résistant à la chaleur et servir aussitôt.

WHISKY SODA

5 cl de whisky

1 à 2 gros cubes de glace

1 spirale de zeste de citron

Eau de Seltz bien fraîche

Verser le whisky dans un grand gobelet. Ajouter la glace et la spirale de citron et compléter avec l'eau de Seltz.

BLACK RUSSIAN

2,5 cl de liqueur de café

7,5 cl de vodka

3 cubes de glace

Mettre la liqueur de café et la vodka dans un petit gobelet. Ajouter doucement la glace. Remuer avec une longue cuiller et servir avec une paille.

BLOODY MARY

2 cl de vodka

4 cl de jus de tomate

1,5 cl de jus de citron passé

1 rondelle de citron

1 pincée de sel

C'est le jus de tomate qui a donné son nom à cette boisson très épicée. Mélanger tous les ingrédients dans une coupe et garnir d'une rondelle de citron.

Bloody Mary

DÉSIR DE PARIER

2 cubes de glace

2,5 cl de vodka

2,5 cl de calvados

1 trait d'abricot brandy

5 cl de vin rouge

1 gousse d'ail

1 olive verte

Mettre la glace, la vodka, le calvados, le vin rouge et l'abricot brandy dans le shaker, puis secouer énergiquement. Frotter un verre à vin avec la gousse d'ail, puis y verser le contenu du shaker. Décorer avec l'olive verte.

ÉCLAIR VERT

2 cubes de glace

2,5 cl de vodka

2,5 cl de vermouth blanc

1 cuillerée à café de chartreuse verte

Mettre la glace dans le shaker. Verser les autres ingrédients par-dessus, bien secouer et servir dans un verre à cocktail.

GIPSY

2 cubes de glace

3 cl de vodka

2 cl de bénédictine

1 trait d'angustura

La vodka et la bénédictine se marient bien et elles confèrent à ce cocktail un arôme tout à fait particulier.

Mettre la glace dans le shaker. Verser les autres ingrédients par-dessus, secouer brièvement mais énergiquement.

GREEN DRAGON

3 cubes de glace

5 cl de vodka

5 cl de crème de menthe verte

Mettre la glace, la vodka et la crème de menthe dans le shaker. Secouer brièvement et énergiquement. Servir dans une coupe ou une flûte à champagne rafraîchie ou un verre à cocktail, également rafraîchi.

Pour rafraîchir le verre, on le remplit de glace pilée que l'on retire au moment de verser le drink.

GREEN SEA

2 à 3 cubes de glace

1,5 cl de vermouth dry français

2 cl de vodka

1,5 cl de crème de menthe verte

En plongeant le regard dans le verre, on ressent les vagues et le mouvement des bateaux. C'est ce qu'affirment, en tout cas, les amateurs de cette boisson.

Piler la glace et la mettre dans le shaker. Ajouter le vermouth dry, la vodka et la crème de menthe. Bien secouer et servir dans un verre à cocktail.

BASE DE VODKA

Green dragon, Green sea

ICE-CREAM FRAPPÉ CITRON

2 cuillerées à dessert bien remplie de glace au citron

1 cl de vodka

4 cl de lait

Le jus d'un demi-citron

1 cuillerée à café de sucre en poudre

1 rondelle de citron

Mettre la glace, la vodka, le lait, le jus de citron et le sucre en poudre dans le shaker et secouer, ou bien passer au mixer. Verser dans une coupe à champagne et décorer avec la rondelle de citron. Servir avec une paille.

JOE COLLINS

3 à 4 gros cubes de glace

Le jus d'un demi-citron

1 cuillerée à café de sirop de sucre

4 cl de vodka

1 cuillerée à café de jus de citron vert

1 trait d'angustura

Eau de Seltz

Les frères Collins sont plusieurs ; ils sont préparés à base de gin, d'eau-de-vie de vin ou de whisky. Le Joe Collins, lui, est préparé avec de la vodka.
Mettre la glace dans un gobelet moyen. Verser le jus de citron par-dessus, ajouter le sucre, la vodka, le jus de citron vert et l'angustura, bien remuer et compléter à volonté avec l'eau de Seltz. Servir avec une paille.

Ice-cream frappé citron

KANGAROO

2 à 3 cubes de glace

4 cl de vodka

1 cl de vermouth sec français

1 zeste de citron

Bien remuer les glaçons avec la vodka et le vermouth dans le verre à mélange. Vider dans une coupe. Arroser de gouttes de citron en pressant le zeste au-dessus du verre. Servir avec une paille.

LARA

Le jus d'un demi-citron

2 cuillerées à dessert de sucre

3 cubes de glace

3 cl de vodka

1 cl de curaçao triple sec

3 cl de jus de citron

1 trait de grenadine

Ginger ale

1/2 tranche d'orange

2 cerises à cocktail

Le Lara ne compte pas seulement parmi les drinks qui procurent des plaisirs prolongés, il fait aussi partie des long drinks primés. C'est lors d'une compétition qu'il fut baptisé ; son lieu de naissance est Wiesbaden.
Préparer d'abord le «givrage» du verre. Mettre le sucre dans une soucoupe et le jus de citron dans une autre. Retourner un grand gobelet et tremper le bord du verre dans le jus de citron, laisser égoutter quelques secondes, puis tremper dans le sucre. Laisser sécher le bord givré. Mettre la glace, la vodka, le

curaçao triple sec, le jus de citron et la grenadine dans un verre à mélange et bien remuer. Vider le mélange dans le gobelet. Compléter avec du ginger ale et décorer avec la tranche d'orange et les cerises à cocktail. Servir avec une paille et une longue cuillerée pour déguster les cerises.

MYRA

2 à 3 cubes de glace

2,5 cl de vin rouge

1,5 cl de vodka

1 cl de vermouth dry

Vous pourrez servir ce drink en apéritif, avant le dîner, ou simplement entre les repas, dans la matinée ou l'après-midi. Mettre la glace, le vin rouge, la vodka et le vermouth dry dans un verre à mélange. Bien remuer et servir dans un verre à cocktail.

Joe Collins

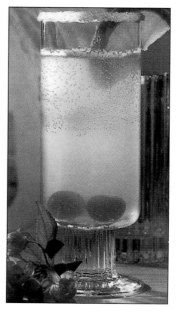

Lara

Red tonic

NEWSKIJ PROSPECT

2 à 3 cubes de glace

2 cl de vodka

1 cl de Cointreau

1 cuillerée à café de jus de citron

Eau de Seltz

1 tranche d'orange

La grande rue somptueuse de Leningrad a donné son nom à ce cocktail.
Piler la glace et la mettre dans le shaker. Verser la vodka, le Cointreau et le jus de citron par-dessus, secouer et vider dans un grand verre.
Compléter avec l'eau de Seltz. Décorer avec une tranche d'orange qu'on placera sur le bord du verre.

RED TONIC

3 cl de grenadine

3 cl de vodka

1 cl de jus de citron

1 cube de glace

1 rondelle de citron

Tonic water

Ce long drink rafraîchissant se prépare très rapidement. Mettre la grenadine, la vodka et le jus de citron dans un verre à mélange et bien remuer avec une longue cuiller. Vider dans une coupe. Ajouter le glaçon et la rondelle de citron et compléter par le tonic water. Servir avec une paille.

RITZ MACKA

3 à 4 cubes de glace

2 cl de vermouth dry français

1,5 cl de vermouth rosso

1,5 cl de vodka

1 trait de liqueur de cassis

1 trait de liqueur de cerise

Piler finement la glace et en remplir à moitié un petit gobelet. Verser le vermouth dry, le vermouth rosso et la vodka par-dessus. Puis ajouter un trait de liqueur de cassis et un trait de liqueur de cerise. Bien remuer à l'aide d'une longue cuiller et servir avec une paille.

SANG DE COSAQUE

12 cl de café sucré

12 cl de vin rouge

2 cl de vodka

Ce mélange réchauffe les pieds et donne de l'ardeur aux danseurs.
Mettre le café et le vin rouge dans une casserole et faire frémir. Vider dans des verres à anse résistant à la chaleur puis ajouter la vodka.

Sang de cosaque

Screw driver

SCREW DRIVER

2 à 3 cubes de glace

2,5 cl de vodka

7,5 cl de jus d'orange

Vous avez certainement déjà
bu ce long drink.
Mettre tous les ingrédients
dans un verre à mélange. Bien
remuer à l'aide d'une longue
cuiller car la boisson doit être
très froide. Servir le drink
dans un gobelet moyen.

SPUTNIK

2 à 3 cubes de glace

1,5 cl de bourbon

1,5 cl d'eau-de-vie de vin

2 cl de vodka

Sangria pour remplir le verre

1 pincée de poivre de Cayenne

Sputnik cocktail, Sputnik (premier plan)

Le Sputnik apaisera aussi les
effets des «lendemains difficiles».
Mettre la glace, le whisky,
l'eau-de-vie de vin et la vodka
dans le shaker. Bien secouer
et verser dans un gobelet
moyen. Compléter avec la
sangria, saupoudrer de poivre
de Cayenne et bien remuer le
tout avec une longue cuiller à
mélange.

SPUTNIK
COCKTAIL

2 à 3 cubes de glace

7,5 cl de vodka

2,5 cl de Fernet branca

1/2 cuillerée à café de sucre

*1 cuillerée à café de jus de
citron*

*1 à 2 cubes de glace
éventuellement*

Mettre tous les ingrédients
dans le shaker et bien
secouer. Vider dans un grand
verre à cocktail et ajouter,
selon le goût, des glaçons.

TONIC JASCHA

3 cubes de glace

3 cl de vodka

Tonic water

Si l'on connaît le Tonic Jascha, on sait combien il est stimulant, en particulier après une journée épuisante. En remplaçant la vodka par du gin, on aura du Gin tonic, drink encore plus connu que le Tonic Jascha. Pour préparer celui-ci, on met la glace et la vodka dans un grand gobelet que l'on remplit, ensuite, de tonic water. On peut se passer, ici de la rondelle de citron pour décorer ; en revanche, elle est indispensable pour le Gin tonic.

TOVARITCH

3 à 4 cubes de glace

2 cl de jus de limette

3 cl de kummel

5 cl de vodka

3 cuillerées à dessert de glace pilée

Mettre les glaçons, le jus de limette, le kummel et la vodka dans un shaker. Secouer énergiquement. Mettre la glace pilée dans une coupe à champagne, puis verser le contenu du shaker par-dessus. Servir avec une paille.

Universal cocktail

UNIVERSAL COCKTAIL

3 cubes de glace

1 cl de cynar

1 cl de vermouth dry français

3 cl de vodka

1 olive

Mettre la glace dans un verre à mélange. Ajouter le cynar, le vermouth et la vodka. Remuer avec une cuiller à mélange et vider dans un verre à cocktail. Mettre une olive dans le verre. Servir avec un bâtonnet.

VODKA CRUSTA

2 cuillerées à dessert de sirop d'orange

2 cuillerées à dessert de sucre en poudre

4 à 5 cubes de glace

3 cl de vodka

1 cl de vermouth rosso

1 trait d'angustura

2 cuillerées à café de sucre

1 spirale de zeste de citron pour décorer

Mettre le sirop d'orange dans une soucoupe et le sucre dans une autre. Tremper le bord d'une coupe à champagne dans le sirop d'orange, puis dans le sucre après avoir laissé un peu égoutter. Remettre le verre à l'endroit, puis laisser sécher le «givre». Mettre tous les autres ingrédients, à l'exception de la spirale de zeste de citron, dans le shaker. Agiter soigneusement, puis vider le contenu du shaker dans le verre givré. Accrocher la spirale de zeste de citron sur le rebord du verre. Servir avec une paille.

VODKA DAISY

3 à 4 cubes de glace

4 à 6 morceaux d'ananas

2 à 3 cuillerées à dessert de glace concassée

5 cl de vodka

2 cuillerées à café de sirop de sucre

1 cuillerée à café de bénédictine

1 trait de marasquin

1 trait de calvados

5 à 10 cl d'eau de Seltz

Refroidir une petite coupe à champagne en y mettant les glaçons qu'on retirera lorsque la coupe sera couverte de buée. Mettre, ensuite, les morceaux d'ananas dans la coupe. Mettre la glace concassée, la vodka, le sirop, la bénédictine, le marasquin et le calvados dans le shaker. Envelopper le shaker dans une serviette, puis l'agiter très fort au moins pendant une minute. Verser le contenu du shaker dans la coupe refroidie, puis ajouter l'eau de Seltz goutte à goutte. Servir avec une paille.

Vodkatini

VODKA FIZZ

2 à 3 cuillerées à dessert de glace concassée

5 cl de jus d'ananas

1 cuillerée à café de jus de citron

1 cuillerée à café de sirop de sucre

3 cl de vodka

Eau de Seltz glacée

1 glaçon

Mettre tous les ingrédients dans le shaker, à l'exception de l'eau de Seltz et du glaçon. Envelopper le shaker dans une serviette et l'agiter fortement pendant une ou deux minutes. Verser le contenu dans un grand gobelet et compléter avec l'eau de Seltz. Ajouter le glaçon et servir avec une paille.

VODKA GIBSON

2 à 3 cubes de glace

4 cl de vodka

1 cl de vermouth dry français

2 à 3 petits oignons blancs au vinaigre

Mettre la glace, la vodka et le vermouth dans un verre à mélange. Bien remuer à l'aide d'une longue cuiller à mélange, puis vider dans un verre à cocktail. Ajouter les petits oignons et servir avec un bâtonnet.

VODKATINI

2 à 3 cubes de glace

4 cl de vodka

1 cl de vermouth dry français

2 traits d'angustura

1 petit oignon blanc mariné

1 zeste de citron

Mettre la glace dans un verre à mélange. Verser la vodka, le vermouth et l'angustura par-dessus. Remuer avec une longue cuiller à mélange. Passer dans un verre à cocktail, décorer avec le petit oignon blanc et arroser de quelques gouttes d'essence de citron en pressant le zeste entre le pouce et l'index. Servir avec une paille et un bâtonnet.

WOLGA ORANGE

2 à 3 cubes de glace

2 cl de vodka

2 cl de cherry brandy

2 cl de jus d'orange

1 tranche d'orange

Mettre la glace, la vodka, le cherry brandy et le jus d'orange dans le shaker. Secouer énergiquement, puis passer dans un verre à cocktail. Placer la tranche d'orange sur le rebord du verre et servir avec une paille.

WOLGA WOLGA

2 à 3 cubes de glace

4 cl de vodka

1 cl de curaçao bleu

1 trait de Pernod

Mettre la glace, la vodka, le curaçao et le Pernod dans un verre à mélange. Remuer avec une longue cuiller, puis servir dans un verre à cocktail.

ZUBROWKATINI

2 à 3 cubes de glace

4 cl de Zubrowka vodka

6 cl de crème de menthe blanche

4 cl de jus de citron

1 cerise à cocktail verte

Mettre la glace dans le shaker avec la vodka, la crème de menthe et le jus de citron. Secouer énergiquement, puis vider dans un grand verre à cocktail. Décorer avec la cerise et servir avec une paille et une cuiller.

Wolga Wolga, Wolga orange

ACAPULCO

4 cubes de glace

1 cuillerée à café de sirop de sucre

5 cl de tequila

2,5 cl de liqueur de cassis

1 rondelle de citron

Eau gazeuse

La plage chic du Mexique a donné son nom à un long drink qui garantit une bonne ambiance. Concasser les cubes de glace en très petits morceaux et les mettre dans un verre ballon. Verser le sirop par-dessus, puis la tequila et la liqueur de cassis. Bien mélanger le tout jusqu'à ce que le verre se couvre de buée. Disposer ensuite la rondelle de citron dans le verre et remplir d'eau gazeuse selon le goût.

MARGARITA

Le jus d'un demi-citron

2 cuillerées à dessert de sel

5 cl de tequila

2 à 3 cubes de glace

2,5 cl de curaçao triple sec

2,5 cl de jus de citron vert

Mettre le sel dans une soucoupe et le jus de citron dans une autre. Tremper le bord d'un verre à cocktail d'abord dans le jus de citron, puis dans le sel après avoir laissé égoutter quelques secondes. Laisser sécher.
Piler grossièrement la glace et la passer au mixer trente secondes avec la tequila, le curaçao et le jus de citron vert. Vider dans un verre à cocktail. Servir avec une paille. On peut aussi, bien sûr, préparer ce cocktail avec le shaker.

MARIA MEXICANA

3 à 4 cubes de glace

15 cl de sangria

5 cl de tequila

2 traits d'angustura

Mettre tous les ingrédients dans le verre à mélange, secouer et servir dans un petit gobelet.

SANGRIA SLING

2 à 3 cubes de glace

2,5 cl de tequila

1 cl de sangria

Ce drink se prépare directement dans le verre. C'est un stimulant, très vite réalisé. Mettre tous les ingrédients dans un petit gobelet. Bien remuer à l'aide d'une longue cuiller et servir aussitôt.

Sunrise

SUNRISE

3 à 4 cubes de glace

2,5 cl de jus de limette

2,5 cl de grenadine

5 cl de tequila

Eau de Seltz glacée

1 rondelle de limette

Concasser la glace. La passer au mixer pendant vingt minutes avec le jus de limette, la grenadine et la tequila. Verser dans un grand gobelet et compléter avec l'eau de Seltz. Ajouter les trois glaçons qui restent et décorer avec la rondelle de limette en la plaçant sur le rebord du verre. Servir avec une paille.

Acapulco

BASE DE TEQUILA

Maria mexicana, Margarita

TEQUILA COCKTAIL

2 à 3 cubes de glace

3 cl de tequila

2 cl de porto

2 traits d'angustura

1 cuillerée à café de jus de limette

Le Tequila cocktail fait partie des drinks que l'on boit entre les repas, pour se rafraîchir. Mettre tous les ingrédients dans le shaker. Secouer énergiquement quelques secondes, puis servir dans un verre à cocktail.

TEQUILA FIX

2 cuillerées à café de miel

1 à 2 cl de jus de limette

5 cl de tequila

2 traits de curaçao orange

4 à 5 cubes de glace

1 rondelle de citron

Mettre le miel et le jus de limette dans un grand gobelet et remuer avec une cuiller à mélange jusqu'à ce que le miel soit dissous. Ajouter la tequila et le curaçao. Piler la glace et la mettre également dans le verre. Remuer encore une fois tous les ingrédients. Garnir d'une rondelle de citron et servir avec une paille.

TEQUILA CALIENTE

2 à 3 cubes de glace

4 cl de tequila

1 cl de liqueur de cassis

1 cl de jus de limette

2 traits de grenadine

1 spirale de zeste de limette

5 à 10 cl d'eau de Seltz glacée

Mettre tous les ingrédients, excepté l'eau de Seltz, dans un grand gobelet. Bien remuer avec une longue cuiller à mélange et ajouter l'eau de Seltz. Servir avec une paille.

Tequila caliente, Tequila fix

ABC COCKTAIL

4 à 5 cubes de glace

2 cl d'armagnac

2 cl de bénédictine

1 trait d'angustura et de champagne

1 rondelle de citron

2 quartiers d'orange ou de mandarine

2 cerises à cocktail

Concasser deux cubes de glace que l'on mettra dans le shaker. Y verser ensuite l'armagnac, la bénédictine et l'angustura et secouer le shaker. Piler le reste de glace très finement. Remplir le verre à moitié avec cette glace. Verser les alcools par-dessus. Compléter ensuite avec le champagne. Disposer la rondelle de citron et les quartiers d'orange et décorer avec les cerises.

ABC cocktail

AGADIR

3 cubes de glace

2,5 cl de liqueur de moka,

Le jus d'une demi-orange,

12 cl de coca ou de mousseux

1 rondelle d'orange

Mettre les glaçons dans une grande coupe. Verser la liqueur de moka et le jus d'orange au-dessus et finir de remplir avec le coca ou le mousseux. Disposer la rondelle d'orange au-dessus ou bien la fixer sur le bord du verre. Servir avec une paille.

AMÉRICANO

3 cubes de glace

2,5 cl de vermouth rouge

2,5 cl de Campari

Le zeste râpé d'un quart de citron

Eau de Seltz

On sert l'Américano avant le repas pour stimuler l'appétit. Mettre les glaçons dans une coupe. Ajouter le vermouth, le Campari et le zeste de citron, puis mélanger légèrement. Compléter avec l'eau de Seltz selon le goût. Servir avec une paille. Des petits biscuits au fromage ou des amandes salées accompagnent très bien cet apéritif.

AMOUR CRUSTA

Le jus d'un demi-citron

2 cuillerées à dessert de sucre

2 cubes de glace

2 doigts de peach bitter

1 cuillerée à café de curaçao

1 cuillerée à café de marasquin

2 doigts de jus de citron vert

5 cl de porto vieux pas trop doux

1 zeste de citron coupé en spirale

Il est conseillé de prendre ce long drink en particulier après un bon repas. Préparer d'abord le givrage du verre. Mettre le jus de citron dans une soucoupe et le sucre dans une autre. Tremper le bord d'un verre à cocktail d'abord dans le jus de citron, puis laisser un peu égoutter avant de le passer dans le sucre. Remettre le verre à l'endroit et laisser sécher le bord givré.

Piler la glace et la mettre dans le shaker. Verser tous les ingrédients, dans l'ordre, sur la glace. Bien secouer. Vider, en le filtrant, le contenu du shaker dans le verre givré. Servir avec une paille.

Américano

LIQUEURS ET VERMOUTH

Amour crusta

ANGEL'S WING KISS

2,5 cl de crème de cacao

2,5 cl de crème de prunelle

2,5 cl de crème fraîche liquide

Mettre la crème de cacao dans un grand verre étroit. Faire couler délicatement la crème de prunelle sur le dos de la cuiller afin de ne pas mélanger les deux liquides ; puis, de la même manière, verser la crème liquide ou légèrement battue. On aura alors trois couches de liquide superposées.

Angel's wing kiss, Angel's lips

ANGEL'S LIPS

5 cl de bénédictine

2 cl de crème fraîche liquide

L'Angel's lips fait partie des pousse-café. Il s'agit là d'inventions de cocktails tout particulièrement alléchantes. La bénédictine et la crème doivent être bien fraîches. Dans un grand verre étroit, mettre d'abord la bénédictine. Puis, faire couler la crème délicatement sur le dos de la cuiller dans le verre. Pour plus de facilité, utiliser une crème qui aura été légèrement battue.

ANTI-GUEULE-DE-BOIS

2 cubes de glace

1 cuillerée à café de sucre

4 cl de xérès

1 trait d'angustura

1 œuf

Il existe plusieurs boissons anti-gueule-de-bois. Certaines sont même très efficaces et celle-ci en fait partie.
Mettre la glace dans un shaker. Ajouter tous les autres ingrédients, secouer fortement et servir dans un petit gobelet.
Ce breuvage provient d'un vieux livre de recettes.

APPLE JACK RABBIT

2 cubes de glace

2 cl d'Apple Jack ou de calvados

2 cl de jus d'orange

1 cl de jus de citron

1 cuillerée à café de sirop de sucre

1 doigt de liqueur d'orange amère

Piler la glace et la mettre avec les autres ingrédients dans le shaker. Agiter et servir dans un verre à cocktail.

Apple Jack rabbit

De gauche à droite : Apricot cooler, Apricot daisy, Apricot blossom

APRICOT BLOSSOM

2 cubes de glace	Piler la glace, la mettre avec
1 cl d'abricot brandy	les autres ingrédients dans le
2 cl de jus d'orange	shaker ; secouer fortement et
2 cl d'eau-de-vie de prunes	servir dans un verre à cock-tail.

112

APRICOT COOLER

3 cubes de glace

2,5 cl d'abricot brandy

2,5 cl de jus de citron sans pulpe

2,5 cl de jus d'orange sans pulpe

5 doigts de grenadine

Eau de Seltz

Ce long drink fruité convient particulièrement aux réunions de jeunes. Mettre les glaçons dans une grande coupe. Y verser ensuite l'abricot brandy et les jus de fruits. Bien remuer le tout à la cuiller et, selon le goût, ajouter l'eau de Seltz à la fin.

APRICOT FIZZ

3 cubes de glace

Le jus d'un demi-citron

Le jus d'une demi-orange

2,5 cl d'abricot brandy

Eau de Seltz

Piler la glace et la mettre dans le shaker. Passer les jus d'orange et de citron et les verser également dans le shaker. Ajouter l'abricot brandy à la fin. Bien secouer le shaker et vider le contenu dans un verre moyen; selon le goût, compléter avec l'eau de Seltz.

Baiser d'ange

BAISER D'ANGE

3,5 cl d'abricot brandy

1,5 cl de crème fraîche liquide

1 cerise à cocktail

Mettre l'abricot brandy dans un verre à pousse-café. Faire couler délicatement la crème sur le dos d'une longue cuiller afin d'obtenir deux couches distinctes qui ne se mélangent pas. Ce sera plus facile si la crème est légèrement battue. Transpercer la cerise avec un bâtonnet et la poser en travers du verre.

BAMBOO

2 cubes de glace

2,5 cl de vermouth dry

2,5 cl de xérès

2 doigts d'angustura

1 doigt de liqueur d'orange

1 cerise à cocktail

1 citron

Ce cocktail se sert avant le repas. Il stimule l'appétit et met de bonne humeur. Bien mélanger la glace avec le vermouth, le xérès, l'angustura et la liqueur d'orange dans une grande coupe. Verser le drink dans un verre à cocktail et décorer avec la cerise. Pour finir, asperger le cocktail de gouttes de citron et servir avec une paille. Si l'on préfère sentir davantage le goût du xérès, on ne mettra qu'un tiers de vermouth, pour environ deux tiers de xérès dans le verre et on renoncera à la liqueur amère d'orange.

Bamboo

113

Bénédictine frappée

BÉNÉDICTINE FRAPPÉE

3 cubes de glace

2,5 cl de bénédictine.

Un after-drink aromatisé pour conclure un bon repas. Râper la glace très finement et en remplir un verre à cocktail ; puis verser la bénédictine.

BROADWAY SMILE

2,5 cl de Cointreau

2,5 cl de punch suédois

2,5 cl de crème de cassis

Comme tous les pousse-café, ce drink doit être préparé avec soin.
Mettre le Cointreau dans un verre étroit. Faire glisser, sur le Cointreau, le punch suédois sur le dos d'une cuiller à mélange et procéder de même

avec la crème de cassis de façon à obtenir trois couches de liquide superposées.

BRONX

2 cubes de glace

1 cl de dry gin

1 cl de vermouth dry

1 cl de vermouth rouge

1 trait d'angustura bitter

1 cl de jus d'orange

1 ruban d'écorce d'orange

Piler la glace et la mettre dans le shaker. Verser le gin, le vermouth, l'angustura et le jus d'orange sur la glace pilée ; bien mélanger le tout et servir dans un verre à cocktail ; décorer avec le ruban d'orange en le fixant sur le rebord du verre.

Campari soda

CAMPARI SODA

2 à 3 cubes de glace

4 cl de Campari

1 ruban d'écorce de citron

1 trait d'eau de Seltz

Cette délicieuse boisson nous vient d'Italie. Elle désaltère lorsqu'il fait très chaud tout en étant exquise et saine. Mettre la glace dans une coupe évasée, verser le Campari par-dessus et, selon le goût, ajouter l'eau de Seltz. Déposer le ruban de citron sur le bord du verre et servir avec une paille.

CHERRY BRANDY FLIP

2 à 3 cubes de glace

1 œuf

1 cuillerée à café de sucre en poudre

8 cl de cherry brandy

Un peu de noix muscade râpée

Un short drink idéal pour redonner un peu de tonus après avoir dansé toute la nuit. Mais il vaut mieux le servir après le petit-déjeuner. Mettre la glace, l'œuf et le sucre en poudre dans le shaker. Ajouter le cherry brandy. Entourer le shaker d'une serviette et bien le secouer. Verser dans une coupe à champagne, saupoudrer de noix de muscade et servir avec une paille.

CHERRY SOUR

2 cubes de glace

2 cuillerées à café de sirop de sucre

Le jus d'un citron

4 cl de cherry brandy

Eau de Seltz

3 cerises à cocktail

1 rondelle de citron

Piler la glace et la mettre dans le shaker. Verser par-dessus le sirop de sucre, le jus de citron et le cherry brandy et secouer brièvement et énergiquement. Verser dans une timbale et remplir d'eau de Seltz. Décorer avec les cerises et fixer la rondelle de citron sur le bord du verre.

CHOCOLATE SOLDIER

2 cubes de glace

1 trait d'orange bitter

1 cl de crème de cacao

2 cl de vermouth dry

2 cl d'eau-de-vie de vin

Toujours délicieux, il est aussi conseillé comme dessert lors d'un repas dominical ou de fête.
Concasser grossièrement la glace et la passer au mixer. Ajouter les autres ingrédients, mixer et servir dans une coupe.

COBBLER AUX CERISES

3 cubes de glace

4 cl de kirsch

4 cl de sirop de cerise

Eau de Seltz

6 à 8 cerises dénoyautées

Un cobbler au goût modéré que l'on sert habituellement au cours d'une partie de bridge, pendant la pause. Râper finement la glace – comme pour le cobbler – et en remplir un verre à cobbler ou une coupe à champagne jusqu'à peine la moitié. Verser le kirsch et le sirop de cerise par-dessus, remuer délicatement, compléter à volonté d'eau de Seltz ; décorer avec les cerises dénoyautées et servir avec une paille et une cuiller.

Chocolate soldier

115

Cocktail à la carambole

Cocktail Blanche

COCKTAIL ADONIS

3 cubes de glace

1,5 cl de vermouth rouge

3 cl de xérès

1 trait d'angustura bitter

Le Cocktail Adonis se sert en apéritif avant un bon repas. Remuer tous les ingrédients dans un verre à mélange avec une grande cuiller, vider dans un grand verre en retenant la glace et servir.

COCKTAIL À LA CARAMBOLE

1 à 2 morceaux de sucre

1 à 2 traits d'angustura

12 cl de mousseux

1/2 carambole coupée en tranches

Les caramboles sont des fruits des Tropiques. Mettre le sucre dans une coupe à champagne et imbiber d'angustura. Remplir la coupe de mousseux. Mettre quelques tranches de carambole dans le verre.

Variante. On peut mettre une cuillerée à café de grenadine dans le mousseux et décorer avec la carambole. Il existe encore une autre version plus simple: mousseux et carambole.

COCKTAIL BLANCHE

2 cubes de glace

1 cl de liqueur d'anisette

1 cl de curaçao blanc

3 cl de liqueur d'orange

1 cerise à cocktail

Continental cocktail

Ce cocktail enchantera les dames, que ce soit après le repas, avec le café ou à l'heure du thé.
Piler grossièrement la glace et la mettre dans le shaker. Verser les liqueurs au-dessus, secouer modérément et servir dans un verre à cocktail ou dans une coupe à champagne. Décorer avec la cerise.

COLORADO COCKTAIL

2 à 3 cubes de glace
1,5 cl de cherry brandy
1,5 cl de kirsch
1,5 cl de crème fraîche

Mettre les glaçons dans le shaker. Ajouter les autres ingrédients et bien secouer. Servir dans un verre à cocktail en retenant la glace.

COMMISSAIRE

1 cl de cordial médoc
1 jaune d'œuf
2 cl de kirsch

Ce drink nécessite absolument un verre spécial avec un pied creux, ainsi qu'un flair délicat, tel celui d'un commissaire. Remplir le pied du verre avec le cordial médoc. Faire délicatement glisser le jaune d'œuf dans le verre. Puis, verser le kirsch par-dessus, en faisant attention de ne pas casser le jaune et de ne pas le mélanger à l'autre spiritueux. Le jaune d'œuf a pour fonction de les séparer. Servir avec une paille et une cuiller.

Colorado cocktail

CONTINENTAL COCKTAIL

2 à 3 cubes de glace
2 traits d'angustura
2 traits de curaçao
2 traits d'orange bitter
2 traits de marasquin
3 traits de vermouth français
3 traits de vermouth italien
Vin mousseux
1 cerise à cocktail pour décorer

Ce drink peut se servir le matin aussi. Mettre tous les ingrédients, excepté le vin mousseux et la cerise dans le verre à mélange et bien remuer. Verser dans une coupe à champagne, emplir de vin mousseux et garnir d'une cerise. Servir avec une paille.

COUNTRY CLUB HIGHBALL

2 à 3 cubes de glace

7,5 cl de vermouth dry français

2,5 cl de grenadine

Eau de Seltz

1 ruban de zeste de citron

Mettre les deux ou trois glaçons dans un grand verre. Verser par-dessus la grenadine et le vermouth. Remuer avec une cuiller à mélange. Emplir d'eau de Seltz. Décorer avec le ruban de zeste de citron et servir.

CRYSTAL HIGHBALL

1 à 2 cubes de glace

2 cl de vermouth blanc

2 cl de vermouth rouge

2 cl de jus d'orange passé

Eau de Seltz

1 ruban d'écorce d'orange

Ce cocktail est un long drink rafraîchissant et stimulant, rapidement préparé. Mettre la glace dans un verre à cocktail ou une coupe à champagne. Verser par-dessus le jus d'orange et le vermouth, puis compléter avec l'eau de Seltz à volonté. Fixer le ruban d'écorce d'orange sur le bord du verre et servir avec une paille.

Crystal highball

Country club highball

DARLING

2 cl de cherry brandy

2 cl de lait concentré

1 cuillerée à dessert bien remplie de glace à la vanille

Eau de Seltz

1 cuillerée à dessert bien remplie de glace à la framboise

2 cuillerées à dessert d'ananas en boîte coupé en petits morceaux ou de framboises fraîches

2 cl de crème chantilly

Mettre d'abord, dans un grand verre, le cherry brandy, puis le lait concentré, et, enfin, la glace à la vanille. Emplir d'eau de Seltz jusqu'à la moitié environ. Mettre ensuite la glace à la framboise dans le verre. Décorer avec les fruits et la crème chantilly.

Servir avec une paille et une longue cuiller.

On peut augmenter la quantité de glace, à volonté, et diminuer la quantité d'eau de Seltz. Il ne s'agit ici que d'une recette de base.

DOUCE BRIGITTE

2 à 3 cubes de glace

2 cl de liqueur de moka

2 cl de crème fraîche

1 cl d'abricot brandy

Il est conseillé de servir ce cocktail en digestif, après un bon dîner.

Mettre tous les ingrédients dans le shaker. Secouer énergiquement quelques secondes, puis servir dans un verre à cocktail.

118

DUBONNET FIZZ

2 à 3 cubes de glace

4 cl de Dubonnet

2 cl de cherry brandy

Le jus d'une demi-orange et d'un demi-citron

Eau de Seltz

Piler grossièrement la glace et la mettre dans le shaker. Ajouter tous les ingrédients, excepté l'eau de Seltz, et secouer le shaker énergiquement. Vider dans un verre à cocktail ou une timbale. Compléter avec l'eau de Seltz.

FLIP FLAP

2 à 3 cubes de glace

1 jaune d'œuf

1 cuillerée à café de sirop de sucre

1 cuillerée à café de grenadine

2,5 cl de porto

2,5 cl de xérès

1 pincée de noix de muscade

Dubonnet fizz

Mettre tous les ingrédients dans le shaker. Envelopper le shaker dans une serviette et secouer brièvement mais énergiquement. Vider le contenu dans un verre ballon ou à champagne. Saupoudrer d'un peu de noix muscade de râpée et servir avec une paille.

FONTAINE DE JOUVENCE

3 cl de liqueur aux œufs

3 cl de cherry brandy

3 cl de crème de menthe verte

Un pousse-café très coloré que les femmes aiment déguster avec un petit noir après le dîner.
Verser d'abord la liqueur aux œufs dans un verre à pied, long et étroit. Quand elle a déposé, faire couler délicatement le cherry brandy sur le dos d'une longue cuiller contre la paroi du verre, pour éviter qu'il ne se mélange à la liqueur. Attendre un peu jusqu'à ce que la surface du liquide soit lisse puis verser la crème de menthe de la même façon. Tout l'art réside dans le fait de ne pas laisser les liquides se mélanger. Servir avec une paille et déguster les liqueurs l'une après l'autre, séparément.

GRASSHOPPER

2,5 cl de crème de cacao

2,5 cl de crème de menthe verte

Ce Grasshopper fait partie des pousse-café. On le sert, comme toutes les boissons de ce genre, dans des verres à pousse-café ou dans des coupes à champagne. Il est très important de toujours verser les liquides dans l'ordre indiqué.
Verser la crème de cacao dans un verre à pousse-café. Ensuite, faire couler délicatement la crème de menthe sur le dos d'une cuiller à mélange. Servir avec une paille.

Half and half

HALF AND HALF

2 cubes de glace

2,5 cl de vermouth bianco

2,5 cl de jus de pamplemousse

1 trait de Campari

Cette boisson se sert avant le repas. Mettre la glace dans le shaker. Verser les autres ingrédients par-dessus, secouer énergiquement et servir dans un verre à cocktail.

119

Helvétia

HAPPY ICE-CREAM SODA

2 cl d'abricot brandy

2 cl de sirop de fraise

2 cl de lait concentré

1 cuillerée à dessert bien remplie de glace à la vanille

1 cuillerée à dessert bien remplie de glace à la fraise

1 cuillerée à dessert de crème chantilly

1 cuillerée à dessert d'abricots secs hachés menu

Cette boisson ne désaltère pas forcément, mais elle est rafraîchissante et toujours délicieuse.
Mettre l'abricot brandy et le sirop de fraise dans un grand gobelet. Ajouter successivement le lait concentré et la glace à la vanille, puis compléter à volonté avec l'eau de Seltz. Ajouter la glace à la fraise, la crème chantilly et garnir

d'abricots secs hachés menus. Servir avec une longue cuiller et une paille.

HELVÉTIA

2 à 3 cubes de glace

1 cl de crème fraîche

1 cuillerée à café de grenadine

1,5 cl de kirsch

1,5 cl de cherry brandy

L'Helvétia se sert à la fin du repas avec le café. Mettre d'abord les glaçons, la crème fraîche et la grenadine dans le shaker. Ajouter le kirsch et le cherry brandy et bien secouer. Servir aussitôt dans un verre à cocktail ou une coupe.

Honeymoon cocktail

Ice-cream soda aux noix

HONEYMOON COCKTAIL

2 à 3 cubes de glace

3 traits de curaçao orange

1 cl de jus d'orange

1,5 cl de bénédictine

2,5 cl de calvados

Mettre la glace dans le shaker. Ajouter le curaçao orange, le jus d'orange, la bénédictine et le calvados. Secouer fortement quelques secondes, puis servir dans un verre à cocktail.

ICE-CREAM SODA AUX NOIX

2 cl de liqueur de noix au moka

2 cl de lait en conserve

1 cuillerée à dessert bien remplie de glace à la vanille

Eau de Seltz

1 cuillerée à dessert bien remplie de glace aux noix

1 à 2 cuillerées à dessert de crème chantilly

1 à 2 cuillerées à café de noix hachées

«ICS» signifie Ice-Cream Soda. L'ICS aux noix n'est pas uniquement un long drink frais destiné à rafraîchir vos invités lors d'une garden-party, il convient tout aussi bien en guise de dessert. Mettre la liqueur, le lait et la glace à la vanille dans un grand verre. Compléter avec l'eau de Seltz, ajouter la glace à la noix, surmonter d'un dôme de crème chantilly et parsemer de noix hachées. Servir avec une paille et une longue cuiller.

ICE-CREAM SODA MAISON

2 cl de liqueur de moka

2 cl de liqueur aux œufs

2 cl de lait concentré

1 cuillerée à dessert bien remplie de glace à la vanille

1 cuillerée à dessert bien remplie de glace au chocolat

4 cuillerées à dessert de crème fraîche

Chocolat en granulés pour décorer

Mettre la liqueur de moka et la liqueur aux œufs dans un grand gobelet. Verser le lait concentré. Ajouter délicatement la glace à la vanille et la glace au chocolat. Battre la crème dans un plat jusqu'à ce qu'elle se transforme en chantilly. En remplir une poche qu'on pressera sur la glace. Servir avec une paille et une cuiller, si possible une cuiller à mélange.

Imperial crusta

IMPERIAL CRUSTA

2 cubes de glace

Le jus d'une mandarine

5 cl de kirsch

1 cuillerée à café de sirop de sucre

Le jus d'une demi-orange

2 cuillerées à dessert de sucre

1 spirale d'écorce d'orange

Pour débuter une garden-party, pour accompagner une petite fête, ou même comme after-drink. Mettre la glace dans le shaker. Verser par-dessus le jus de mandarine, le kirsch et le sirop de sucre, bien secouer, vider dans un verre givré et décorer avec la spirale d'écorce d'orange.

JAPAN CRUSTA

Le jus d'un demi-citron

2 cuillerées à dessert de sucre

3 à 4 cubes de glace

3 cl de kirsch

3 cl de jus de mandarine

1 trait de curaçao triple sec

1 cuillerée à café de sirop de sucre

2 à 3 quartiers de mandarine

Préparer d'abord le givrage. Mettre le sucre et le jus de citron dans deux soucoupes différentes. Passer le bord du verre d'abord dans le jus de citron, laisser égoutter un peu, puis le passer dans le sucre. Remettre le verre à l'endroit et laisser sécher le givre. Piler grossièrement la glace et la mettre dans le shaker. Verser tous les ingrédients par-dessus, excepté les quartiers de mandarine, bien agiter le shaker et vider délicatement dans le verre givré en faisant bien attention de ne pas toucher le givre avec le liquide. Décorer avec les quartiers de mandarine.

Japonaise

JAPONAISE

2 à 3 cubes de glace

1 cl de grenadine

2,5 cl de cognac aux œufs

1,5 cl de kirsch

Eau de Seltzremplie

La Japonaise est un long drink à la fois tonique et rafraîchissant. Mettre la glace, la grenadine, le cognac aux œufs et le kirsch dans un grand gobelet et bien mélanger. Remplir le verre à volonté d'eau de Seltz. Servir avec une paille.

JOCKEY SKIN

2 morceaux de sucre

1 cuillerée à dessert de petits morceaux de pêche

6 cl d'eau bouillante

2 cl de liqueur de pêche

Voici un grog au goût fruité qui contient peu d'al cool. Il est conseillé, ici, d'utiliser des pêches en conserve plutôt que des fraîches.
Mettre le sucre dans un verre à grog réchauffé et ajouter les morceaux de pêche. Remplir le verre d'eau bouillante et ajouter la liqueur. Bien mélanger et servir avec une cuiller. Ce grog est à la fois un plaisir pour les yeux et pour le palais. On peut aussi bien utiliser des fruits en conserve que des fruits frais.

LADY'S CRUSTA

Le jus d'une demi-orange

2 cuillerées à dessert de sucre

1 cube de glace

5 cl de porto

Le jus d'une orange

1 cuillerée à café de sirop de sucre

1 spirale d'écorce d'orange

Mettre le jus d'orange dans une soucoupe et le sucre dans une autre. Retourner un verre à vin et tremper le bord du verre dans le jus d'orange,

Lady's crusta

122

laisser égoutter quelques instants puis le tremper dans le sucre ; laisser sécher le bord givré. Mettre la glace dans le shaker. Verser le porto, le jus d'orange et le sirop de sucre par-dessus, frapper et vider dans le verre givré. Décorer le bord du verre avec la spirale d'écorce d'orange.

LADY'S PUNCH

5 cl de curaçao	
1 tranche d'orange	
5 cl de vin rouge	
10 cl d'eau bouillante	

Mettre successivement le curaçao, la tranche d'orange et le vin rouge dans un verre à punch. Remplir d'eau bouillante et servir aussitôt.

LONE TREE COOLER

2 à 3 cubes de glace	
4 cl d'abricot brandy	
Le jus d'un citron jaune et le jus d'un citron vert	
1 trait de grenadine	
1 trait d'angustura	
Eau de Seltz	

Piler la glace et la mettre dans le shaker avec tous les ingrédients. Frapper. Verser dans une coupe haute. Compléter avec l'eau de Seltz et servir avec une paille. À la place de l'eau de Seltz, on peut aussi utiliser du mousseux ou du champagne.

MADÈRE COBBLER

4 cubes de glace	
2 quartiers de pêche	
2 grappes de raisin	
2 cerises	
3 morceaux d'ananas	
2 cuillerées à café de grenadine	
1 trait de kirsch	
1 trait de curaçao	
1 trait de marasquin	
Madère	

Piler finement la glace et en remplir une coupe aux deux tiers. Décorer avec les fruits. Verser la grenadine, le kirsch, le curaçao et le marasquin par dessus. Compléter avec le madère. Servir avec une paille et une cuiller.

MADÈRE FLIP

2 à 3 cubes de glace	
1 jaune d'œuf	
2 cuillerées à café de sirop de sucre	
5 cl de madère	
Noix de muscade	

Le Madère flip est un fortifiant qui combat rapidement les petites faiblesses physiques.
Mettre tous les ingrédients dans le shaker, excepté la noix de muscade. Secouer quelques secondes énergiquement. Vider dans un gobelet. Saupoudrer d'un peu de noix de muscade râpée. Servir aussitôt avec une paille.

Lone tree cooler

MAY BLOSSOM FIZZ

2 à 3 cubes de glace

2 cuillerées à café de grenadine

1 cl de jus de citron

5 cl de punch suédois

Eau de Seltz pour remplir le verre

Un long drink bien connu, léger et agréable comme une fleur de mai. Jadis, c'étaient les dames qui l'appréciaient le plus. Mais c'était il y a long-temps, très longtemps. Mettre la glace dans le shaker. Ajouter la grenadine, le jus de citron et le punch suédois.

Secouer énergiquement quelques secondes. Passer dans un gobelet moyen et compléter avec l'eau de Seltz. Servir aussitôt avec une paille.

MERRY HUSBAND

2 à 3 cubes de glace

2,5 cl de curaçao bleu

2,5 cl d'alcool de grain de genièvre

Mousseux

2 petits morceaux d'ananas

1 cerise au marasquin (facultatif)

De haut en bas : Madère flip, Madère cobbler

Merry husband

124

Merry widow 2

Miss Yugoslavia

Vider dans un verre à cocktail. Garnir d'une cerise au marasquin. Servir avec un bâtonnet pour la cerise.

MISS YUGOSLAVIA

2 à 3 cubes de glace

1,5 cl de cherry brandy

1,5 cl de crème fraîche

1 cl de crème de cacao

1 cl de crème de noyau

Chocolat râpé

Mettre la glace et les autres ingrédients dans le shaker. Secouer énergiquement quelques secondes et servir dans un verre à cocktail. Parsemer d'un peu de chocolat râpé.

Si vous avez envie de faire plaisir à votre mari, préparez-lui un «Merry husband». Mettre la glace, le curaçao bleu et l'alcool de grain de genièvre dans le shaker. Secouer énergiquement quelques secondes et verser dans une coupe ou une flûte à champagne. Compléter avec le vin mousseux. On peut, si l'on veut, mettre deux morceaux d'ananas et une cerise au marasquin dans le verre.

MERRY WIDOW 2

2 à 3 cubes de glace

2,5 cl de cherry brandy

2,5 cl de marasquin

1 cerise au marasquin avec sa queue

Contrairement à la recette n° 1 (voir page 42), ce cocktail n'est pas simplement remué dans un verre à mélange mais secoué dans le shaker. Mettre la glace, le cherry brandy et le marasquin dans le shaker. Secouer énergiquement quelques secondes.

125

Moonlight

MOONLIGHT

3 à 4 cubes de glace

1,5 cl d'eau-de-vie de poiré

3,5 cl de vermouth bianco

Si vous avez déjà préparé un Martini, il vous sera alors facile de confectionner le Moonlight Cocktail vous sera facile. Pour ce nouveau drink, on choisira un vermouth un peu plus doux, le «bianco», et on remplacera le gin par une eau-de-vie de poiré. Vous serez, alors, agréablement surpris car à la place du goût corsé du genièvre, vous sentirez l'arôme de la poire qui adoucit bien ce long drink. Mettre la glace et tous les ingrédients dans un verre à mélange et bien remuer avec une longue cuiller. Vider dans un verre à cocktail en retenant les glaçons. Si vous avez le goût des expériences nouvelles, vous pourrez aussi remplacer l'eau-de-vie de poiré par d'autres eaux-de-vie de fruits.

Natacha

NATACHA

1,5 cl d'abricot brandy

1,5 cl d'eau-de-vie de poiré

1,5 cl de vermouth rosso

1 trait d'orange bitter

2 cubes de glace

1 cerise à cocktail avec la queue

Mettre la glace et tous les ingrédients dans un verre à mélange. Remuer avec une longue cuiller. Servir dans un verre à cocktail et garnir d'une cerise.

NEGUS

POUR 3 À 4 PERSONNES

1 bouteille de porto

50 cl d'eau

60 g de sucre

1 zeste de citron

1/2 bâton de cannelle

1 pincée de noix muscade râpée

Faire frémir tous les ingrédients dans une casserole. Retirer du feu, laisser infuser deux minutes et servir aussitôt dans des verres à anse ou dans une terrine à punch réchauffée. Si on n'est pas sûr de la résistance des verres à la chaleur, on mettra une cuiller au fond de chaque verre.

NIGAUD

2 à 3 cubes de glace

1 cl de liqueur de mûre

1 cl de liqueur de prunelle

1 cl de kirsch

2 cl d'aquavit

Mettre tous les ingrédients dans un verre à mélange, remuer à l'aide d'une longue cuiller, puis servir dans un grand verre à cocktail.

ŒIL-DE-BŒUF

1 jaune d'œuf intact

5 cl de porto

Vous pourrez aussi servir ce drink pour remédier aux «gueules de bois».
Mettre tout d'abord un jaune d'œuf intact dans une coupe à cocktail. Verser le porto par-dessus. Servir avec une paille et une cuiller.

Nigaud

Œil-de-bœuf

ORANGE COUNTY JULEP

2 à 3 cubes de glace

5 cl de Cointreau

1 trait de jus de citron ou de pamplemousse

1 trait de grenadine

2 demi-tranches d'orange

1 brin de menthe fraîche

C'est surtout en été qu'il faudra préparer les juleps. Ces drinks sont particulièrement appréciés en Angleterre et en Amérique.
Piler la glace et la mettre dans un gobelet moyen, verser le Cointreau, le jus de citron ou de pamplemousse et la grenadine. Bien remuer. Décorer avec la demi-tranche d'orange et la menthe. Servir avec une longue cuiller et une paille.

Pêle-mêle

PEACH AND HONEY

4 à 5 cubes de glace

5 cl de liqueur de pêche

1 cuillerée à dessert de miel

Eau de Seltz

Mettre la glace, la liqueur de pêche et le miel dans le shaker. Bien secouer et verser dans un gobelet. Compléter avec l'eau de Seltz et servir avec une paille.

PÊLE-MÊLE

2 cubes de glace

2 cl de Pernod

2 cl de vermouth dry

3 traits de marasquin

3 traits de bénédictine

3 traits de curaçao

3 traits de crème de cacao

Mettre d'abord les deux glaçons dans le shaker. Verser, par-dessus, les autres ingrédients et secouer énergiquement. Servir dans un verre à cocktail.

PEPPERMINT FRAPPÉ

3 cubes de glace

5 cl de crème de menthe verte

Peach and honey

Pernod fizz

128

Piler finement la glace et la mettre dans une coupe. Remplir de crème de menthe verte. Remuer et servir avec une paille.

PERNOD FIZZ

2 à 3 cubes de glace

3 cl de Pernod

1,5 cl de jus de citron

4 cl d'anisette blanche

1 cuillerée à café de grenadine

1 blanc d'œuf

Eau de Seltz

Le Pernod en apéritif est suffisamment connu. En général, on met une mesure de Pernod pour cinq mesures d'eau froide.
Mettre la glace et tous les ingrédients, dans l'ordre de la recette, dans le shaker. Envelopper le shaker dans une serviette et secouer énergiquement. Vider le contenu dans un grand gobelet. Compléter avec l'eau de Seltz jusqu'à la moitié. Servir avec une paille.

PETER'S KISS

3 cl de Campari

2 cuillerées à café de sirop de framboise

1 cuillerée à café de crème fraîche liquide

1 doigt de kirsch

Verser successivement les ingrédients dans un verre à cocktail et servir avec une paille.

PETIT MIMOSA

3 à 4 cubes de glace

2,5 cl de liqueur de mûre

2,5 cl d'esprit de framboise

2,5 cl de chartreuse jaune

1 cl de jus de citron

1,5 cl de jus d'orange

Mettre la glace et tous les ingrédients dans le shaker et secouer énergiquement quelques secondes. Servir dans une coupe ou flûte à champagne.

Peter's kiss

Petit mimosa

Pieuse Hélène

PIEUSE HÉLÈNE

1 cube de glace

2 cl de liqueur aux œufs

3 cl de marasquin

Un cocktail que les femmes apprécient particulièrement. Râper finement la glace et la mettre dans un verre à cocktail. Verser les autres ingrédients par-dessus, remuer un peu et servir avec une paille.

Pillkaller aux plantes

PILLKALLER AUX PLANTES

2 cl de liqueur de plantes

1 fine rondelle de saucisson au poivre

1 olive verte farcie

Verser la liqueur dans une petite coupe. Piquer la rondelle de saucisson et l'olive sur un bâtonnet que l'on posera sur le verre.

QUEEN BEE

2 à 3 cubes de glace

3 cl de liqueur de prunelle (sloe gin)

2 cl de curaçao orange

1 trait d'anisette

Vous pourrez servir ce cocktail à base de liqueur en digestif, après un bon dîner. Il ne fait aucun doute qu'il déclenchera l'enthousiasme, et pas seulement auprès de la reine des abeilles – Queen Bee. Mettre la glace, le gin, le curaçao et l'anisette dans le shaker. Bien secouer et servir dans un verre à cocktail.

RAYMOND HITCHCOCKTAIL

3 cubes de glace

8 cl de vermouth bianco

Le jus d'une demi-orange

1 trait d'orange bitter

1 tranche d'ananas

La préparation de ce drink est si rapide que même si vous la réalisez en regardant un film d'Hitchcock, vous ne perdrez rien de l'action ! Mettre la glace, le vermouth, le jus d'orange et l'orange bitter dans un verre à mélange. Remuer, puis vider dans un grand gobelet. Garnir d'une tranche d'ananas et servir avec une cuiller.

Queen bee

RÊVE DE MARASQUE

20 cl de babeurre

4 cuillerées à café de cacao en poudre instantané

4 cl de marasquin

Les boissons à base de babeurre ont beaucoup d'amateurs, qui se font, par ailleurs, de plus en plus nombreux dès l'arrivée de l'été. Passer tous les ingrédients au mixer et servir dans une grande coupe ou un grand gobelet.

Rhett buttler

RHETT BUTTLER

2 à 3 cubes de glaces

4 cl de liqueur de whisky à la pêche

1 cuillerée à café de jus de limette

1 cuillerée à café de jus de citron

2 cuillerées à café de curaçao

1 cuillerée à café de sucre en poudre

Souvenez-vous du roman *Autant en emporte le vent*. Le héros de Margaret Mitchell, Rhett Buttler, a donné son nom à ce drink.
Mettre la glace et tous les ingrédients dans l'ordre indiqué, dans le shaker. Secouer énergiquement quelques secondes, puis servir dans un grand verre à cocktail.

RUBY FIZZ

2 à 3 cubes de glace

8 cl de liqueur de prunelle (sloe gin)

2 cuillerées à café de sirop de framboise

1 blanc d'œuf

Le jus d'un demi-citron

Eau de Seltz pour remplir le verre

Concasser la glace et la mettre dans le shaker. Ajouter tous les ingrédients, excepté l'eau de Seltz. Envelopper le shaker dans une serviette et le secouer énergiquement une à deux minutes. Vider le contenu dans un grand gobe-

Ruby fizz

let ou une grande coupe et compléter à volonté avec l'eau de Seltz.

SCARLETT O'HARA

4 cl de southern comfort (liqueur de whisky à l'arôme de pêche)

4 cl de jus d'airelles

5 cl de jus de limette

Mettre tous les ingrédients dans un verre à mélange. Bien remuer à l'aide d'une longue cuiller. Vider le contenu du shaker dans un verre à cocktail.

SOL Y SOMBRA

3 à 4 cubes de glace

1,5 cl de jus de citron passé

3,5 cl d'anisette blanche

5 à 10 cl environ d'eau de Seltz

Remplir un grand gobelet de glace finement pilée. Verser le jus de citron et l'anisette par-dessus. Bien remuer à l'aide d'une longue cuiller. Compléter avec l'eau de Seltz et servir avec une paille.

SORBET FRUITS

2 cuillerées à café de glace à la vanille

4 cl de vermouth dry français

Eau de Seltz

2 à 4 cuillerées à café de fruits sucrés : fraises fraîches, framboises, morceaux d'ananas en conserve, éventuellement petites rondelles d'orange

Les boissons glacées à base de sorbet comptent parmi les plus anciennes.
Remplir un grand verre, au tiers environ, de glace ; verser le vermouth par-dessus et compléter avec l'eau de Seltz. Ajouter les fruits et servir avec une paille et une cuiller. On peut remplacer l'eau de Seltz par du champagne.

SWISS MISS

2 à 3 cubes de glace

5 cl de crème fraîche

2,5 cl de cheri suisse

2,5 cl de liqueur de cerise aux œufs

Si on sert ce drink en digestif, on pourra alors se passer de dessert, cette boisson étant déjà assez riche en calories. Comme pour tous les lactés alcoolisés et toutes les boissons à base de produits laitiers, il faudra servir ce drink aussitôt préparé.
Mettre tous les ingrédients dans le shaker. Secouer énergiquement quelques secondes, puis vider le contenu du shaker dans une coupe ou un grand verre à cocktail.

TOISON D'OR

2 cubes de glace

2,5 cl de chartreuse jaune

2,5 cl d'eau-de-vie de Dantzig

Notre cobbler donne l'effet d'être parsemé de pépites d'or grâce à l'eau-de-vie de Dantzig. Piler finement la glace et en remplir à moitié un verre à cocktail. Verser la char-

Scarlett O'Hara

treuse et l'eau-de-vie de Dantzig par-dessus. Bien remuer avec une longue cuiller et servir avec une paille.

Toison d'or

133

Vermouth Addington

VALENCIA COCKTAIL

2 à 3 cubes de glace

1,5 cl d'abricot brandy

1,5 cl d'orange bitter

2 cl de jus d'orange

1 écorce d'orange

Mettre la glace, l'abricot brandy, l'orange bitter et le jus d'orange dans le shaker. Secouer énergiquement quelques secondes. Vider dans un verre à cocktail, puis arroser de quelques gouttes d'essence d'orange en pressant l'écorce entre le pouce et l'index.

VANILLA DREAM

2 cuillerées à dessert bien remplies de glace à la vanille

2,5 cl de crème de vanille

2,5 cl de crème de cacao

Lait bien frais

Mettre la glace à la vanille dans une coupe. Ajouter la crème de vanille et la crème de cacao. Remuer avec une cuiller à mélange et compléter avec le lait froid. Servir avec paille et cuiller.

UNION JACK

2 cl de grenadine

2 cl de marasquin

2 cl de chartreuse verte

Verser la grenadine dans un grand verre étroit. Faire couler délicatement le marasquin sur le dos d'une longue cuiller à mélange. Procéder de même avec la chartreuse et servir avec une paille.

VAISSEAU FANTÔME

2 à 3 cubes de glace

5 cl de genièvre

2,5 cl de jus de citron passé

2,5 cl de grenadine

Eau

Voici un cocktail toujours délicieux, qu'il soit pris avant ou après le repas, ou à tout moment de la journée. Mettre la glace, le genièvre, le jus de citron et la grenadine dans un petit gobelet et remplir d'eau. Ce drink est encore meilleur si l'on utilise une eau pétillante bien fraîche passée au mixer.

Vermouth cassis

134

VERMOUTH ADDINGTON

2 à 3 cubes de glace

2,5 cl de vermouth bianco

2,5 cl de vermouth dry français

Eau de Seltz

1 spirale de zeste de citron

Vous connaissez certainement déjà ce drink sous le nom de «Vermouth Half and Half». Mettre la glace, le vermouth bianco et le vermouth dry dans le shaker. Secouer énergiquement quelques secondes. Vider le contenu du shaker dans un verre à vin ou à cocktail. Compléter avec l'eau de Seltz et décorer avec la spirale de zeste de citron.

VERMOUTH CASSIS

8 cl de vermouth dry français

3,5 cl de crème de cassis

2 à 3 cubes de glace

1 zeste de citron

Eau de Seltz bien fraîche

Ce long drink peut se servir en apéritif. Mettre le vermouth, la crème de cassis, les glaçons et le zeste de citron dans un gobelet moyen. Compléter avec l'eau de Seltz. Servir avec une paille.

VERMOUTH FLIP

2 à 3 cubes de glace

1 jaune d'œuf

1 cuillerée à café de sirop de sucre

5 cl de vermouth rosso

1 pincée de noix de muscade râpée

Mettre la glace, le jaune d'œuf, le sirop de sucre et le vermouth dans un shaker. Secouer énergiquement quelques secondes. Vider dans un verre à flip. Saupoudrer d'un peu de noix de muscade. Servir avec une paille.
Contrairement aux autres boissons à base de vermouth, il est conseillé de ne pas servir le flip avant le repas car il est trop épais et risquerait, donc, de couper l'appétit.

VICTORIA HIGHBALL

2 à 3 cubes de glace

2 cl de Pernod

2 cl de grenadine

2 à 3 gros cubes de glace

Eau de Seltz bien fraîche

Mettre la glace, le Pernod et la grenadine dans le shaker. Secouer énergiquement quelques secondes. Vider le contenu du shaker dans un grand gobelet, puis compléter avec l'eau de Seltz. Servir avec une paille et une cuiller.

VIERGE

3,5 cl de marasquin

3,5 cl de cordial médoc

Voici un pousse-café dont le succès ne dépend plus que de l'habileté à le verser dans le verre, puisque il a déjà un goût délicieux.
Verser le marasquin dans un verre à pied, long et étroit. Puis laisser couler délicatement, d'un trait, le cordial médoc sur le dos d'une longue cuiller. Vous apprécierez l'aspect de ce pousse-café dans le verre et vous le boirez avec une paille en aspirant une liqueur après l'autre.

WHITY

3 cubes de glace

1,5 cl de liqueur d'orange

1,5 cl d'anisette

1,5 cl de curaçao blanc

Piler la glace et la mettre dans le shaker. Verser les autres ingrédients au-dessus et agiter fortement. Servir ensuite dans un verre ballon.

Whity

American glory

AMERICAN GLORY

3 cubes de glace

2 cl de jus d'orange sans pulpe

2 cuillerées à café de grenadine

Champagne ou mousseux

1 demi-rondelle d'orange

Les cocktails à base de champagne ou de mousseux sont particulièrement faciles à préparer.
Piler la glace; remplir aux trois quarts environ une coupe de champagne avec cette glace pilée. Y verser la grenadine et le jus d'orange et

remplir de champagne.
Mettre la demi-rondelle d'orange dans le verre. Servir avec une paille et une petite cuiller.

APRICOT BRANDY DAISY

3 cubes de glace

2,5 cl d'abricot brandy

2,5 cl de jus de citron

1 cuillerée à café d'eau-de-vie de vin

Champagne ou mousseux

Piler la glace et la mettre dans le shaker. Y ajouter aussi l'abricot brandy, le jus de citron et l'eau-de-vie de vin et bien mélanger le tout. Verser ce liquide dans un verre à champagne et, selon le goût, compléter avec du champagne ou du mousseux bien frais.

BÉNÉDICTINE PICK-ME UP

2 cubes de glace

2 doigts d'angustura

3 cl de bénédictine

Champagne ou mousseux

Piler la glace, verser l'angustura et la bénédictine par-dessus, remuer et vider le contenu dans une coupe à champagne. Compléter avec le mousseux ou le champagne.

BLONDIE

7,5 cl de vermouth blanc

1 cuillerée à café de jus de citron passé

Champagne ou mousseux

Ce cocktail peut être servi aux dames comme stimulant. Mettre le vermouth et le jus de citron dans un grand verre, mélanger et compléter avec le champagne ou le mousseux selon le goût.

BRANDY PICK-ME UP

2 cubes de glace

1 cuillerée à café de sirop de sucre

2,5 cl d'eau-de-vie de vin

Champagne

Apricot brandy Daisy

Bénédictine pick-me up

Piler la glace finement et la mettre dans le shaker. Ajouter le sirop de sucre et l'eau-de-vie de vin; bien secouer le shaker. Verser le contenu dans une coupe à champagne et ajouter du champagne à volonté.

Brandy pick-me up

ainsi de suite, sur un bâtonnet en bois qu'on mettra dans une grande coupe à champagne remplie de champagne.

CALVADOS ROYAL

3 fraises fraîches

5 cl de calvados

Champagne ou mousseux

Un cocktail pétillant à base de mousseux ou de champagne, très vite préparé.
Piquer les fraises avec une fourchette. Les mettre dans une coupe à champagne et verser par-dessus le calvados puis le champagne très frais. Servir avec une cuiller.

BROCHETTE AU CHAMPAGNE

4 grains de raisin vert

3 grains de raisin noir

Champagne

Voici un cocktail que mêle plaisir des yeux et plaisir du palais.
Laver le raisin et le sécher. Piquer un grain de raisin noir puis un grain de raisin vert, et

Brochette au champagne

Calvados royal

Cecil pick-me up

CECIL PICK-ME UP

2 à 3 cubes de glace

2 cuillerées à café de sirop de sucre

2 cl d'eau-de-vie de vin

1 jaune d'œuf

Champagne ou mousseux

Mettre la glace, le sirop de sucre, l'eau-de-vie de vin et le jaune d'œuf dans un shaker. Secouer énergiquement, vider le contenu dans un verre à cocktail et compléter avec le champagne. Servir aussitôt avec une paille.

CHAMPAGNE COBBLER

3 à 4 cubes de glace

1 cuillerée à café de curaçao

1 cuillerée à café de marasquin

1 cuillerée à café de jus de citron passé

3 fraises ou cerises à cocktail

1/2 pêche en conserve coupée en quatre

1 cuillerée à dessert de morceaux d'ananas en boîte

Champagne

Piler très finement la glace et en remplir à moitié un verre à cobbler. Aplatir la glace avec une cuiller et décorer avec les fruits. Verser par-dessus le curaçao, le marasquin et le jus de citron et compléter avec le champagne. Servir avec une paille et une cuiller. Si c'est la saison des fruits frais, on les utilisera à la place des fruits en conserve.

CHAMPAGNE COCKTAIL

1 morceau de sucre

1 trait d'angustura

1 cube de glace

Champagne

1 zeste de citron

Mettre le sucre dans une coupe à champagne et l'imbiber d'angustura. Ajouter le glaçon. Emplir de champagne et distiller quelques gouttes de zeste de citron.

CHAMPAGNE FLIP

5 cl de vin du Rhin

1 cuillerée à café de sirop de sucre

2 jaunes d'œufs

Champagne

Voici une boisson que vous pourrez aussi servir à l'heure du café.
Agiter fortement le shaker contenant le vin du Rhin, le sirop de sucre et les jaunes d'œufs. Verser dans une coupe à champagne. Compléter avec le champagne et servir avec une paille. Vous pouvez bien sûr remplacer le champagne par du mousseux.

CHAMPAGNE JULEP

2 branches de menthe fraîche

1 cuillerée à café de sucre

1 à 2 cubes de glace

1 branche de menthe fraîche

1 cuillerée à dessert de fruits variés

Champagne

Les juleps sont des cocktails rafraîchissants, préparés avec de la menthe et des fruits. Vous utiliserez la menthe poivrée ou la liqueur de menthe qu'en cas de nécessité absolue.
Écraser la menthe avec le sucre à l'aide d'une cuiller à mélange dans une coupe à champagne. Retirer la menthe. Ajouter les glaçons et décorer avec la branche de menthe fraîche et les fruits. Compléter avec du champagne. Servir avec une paille et une cuiller.

CHAMPAGNE PICK-ME UP

2 à 3 cubes de glace

1 cuillerée à café de sirop de sucre

1,5 cl de vermouth dry

1,5 cl d'eau-de-vie de vin

Champagne

Mélanger les glaçons avec tous les ingrédients, excepté le champagne, dans le verre à mélange. Vider dans une coupe et compléter avec le champagne.

138

De gauche à droite : Champagne cocktail, Champagne flip, Champagne pick-me up

Chicago cocktail

CHICAGO COCKTAIL

2 cubes de glace

4 cl d'eau-de-vie de vin

1 cuillerée à café de curaçao orange

1 trait d'angustura

Champagne ou mousseux bien frais

Vous pourrez servir ce cocktail en apéritif avant le dîner. Bien mélanger la glace, l'eau-de-vie de vin, le curaçao et l'angustura dans un grand verre. Verser dans une coupe à champagne en retenant les glaçons et remplir de champagne. Servir avec une paille.

COBBLER AU CHAMPAGNE FRANÇAIS

3 à 4 cubes de glace

1 cuillerée à café de curaçao

1 cuillerée à café de marasquin

1 cuillerée à café de jus de citron passé

3 fraises ou cerises à cocktail

1/2 pêche en conserve coupée en quatre

1 cuillerée à dessert d'ananas en conserve coupé en dés

Champagne

Piler très finement la glace et en remplir à moitié un verre à cobbler. Aplatir la glace avec une cuiller, décorer avec les fruits. Verser successivement par-dessus le curaçao, le marasquin et le jus de citron. Remplir le verre de champagne. Servir avec une paille et une cuiller.

CRUSTINO

Le jus d'un demi-citron

2 cuillerées à dessert de sucre

2 cuillerées à dessert de grenadine

6 cl de porto

Champagne

1 zeste de citron

C'est le bord givré du verre (crusta) qui a donné son nom à ce cocktail au champagne. Préparer d'abord le givrage du verre : mettre le sucre dans une soucoupe et le jus de citron dans une autre. Tremper le bord d'un verre à cocktail, d'abord dans le jus de citron, puis dans le sucre, après avoir laissé égoutter un peu. Remettre le verre à l'endroit, puis laisser sécher quelques minutes. Mettre la grenadine, le jus de citron et le porto dans le verre givré. Compléter par le champagne et décorer avec le citron.

Crustino

Cobbler au champagne français

De gauche à droite : Drink au melon, Cobbler au melon

COBBLER AU MELON

4 cubes de glace

3 boules de melon sucrin

3 boules de pastèque

1 trait de curaçao orange

1 trait de Cointreau

1 trait de cognac

Champagne

Piler finement la glace et en remplir une coupe aux deux tiers. Poser les fruits dessus. Verser le curaçao orange, le Cointreau et le cognac par-dessus. Compléter avec le champagne. Servir avec une paille et une cuiller.

DAISY AU CHAMPAGNE

3 cubes de glace

1 cl de grenadine

2 cl de jus de citron

2 cl de chartreuse jaune

Champagne ou mousseux

Fruits de saison

Voici une boisson stimulante et tonifiante que les femmes apprécient particulièrement. Piler la glace et la mettre dans le shaker. Verser, par-dessus, la grenadine, le jus de citron et la chartreuse. Secouer énergiquement et vider le contenu dans une coupe à champagne assez grande. Remplir de champagne ou de mousseux et décorer avec les fruits. Servir avec une paille et des bâtonnets pour attraper les fruits.

Duplex

DIANA COBBLER

2 à 3 cubes de glace

1 cuillerée à café de grenadine

1 cuillerée à café de marasquin

1 trait d'angustura

Champagne ou mousseux

Fruits frais

Les cobblers sont rafraîchissants s'ils sont servis glacés. Piler très finement la glace que l'on mettra dans un grand verre jusqu'à moitié. Bien l'aplatir. Verser, par-dessus, la grenadine, le marasquin et l'angustura et compléter avec le champagne. Garnir de fruits de saison et servir avec une paille et une longue cuiller.

DRINK AU MELON

Pour 6 à 8 personnes

1 petit melon sucrin ou cantaloup ou une petite pastèque

12 cl de rhum

Champagne ou mousseux

Découper le chapeau du melon et évider les deux parties du melon. Couper la chair du fruit en petits dés et retirer les pépins. Denteler le contour du melon avec le couteau. Remplir le fruit évidé avec le melon coupé en dés, verser le rhum par-dessus, couvrir et laisser macérer deux heures au réfrigérateur. Compléter avec le champagne juste avant de servir et présenter avec pailles et cuillers.

DUPLEX

1 cuillerée à dessert bien remplie de glace à l'ananas

2 cl de xérès

Champagne ou mousseux

La composition de ce drink est assez originale. Mettre la glace à l'ananas dans une coupe à champagne. Ajouter le xérès et remuer avec la glace. Remplir de champagne ou de mousseux. Servir avec une paille.

EDEN ROCKS

1 cuillerée à café de sirop de framboise

2,5 cl de kirsch

Champagne

1 fine tranche d'orange

1 cerise au marasquin

Mettre le sirop de framboise et le kirsch dans une coupe à champagne. Emplir de champagne. Ajouter la tranche d'orange et la cerise. Servir avec une paille.

Fanny hill

Eden rocks

FANNY HILL

1 cl de Campari

1 cl de curaçao blanc

1 cl d'eau-de-vie de vin

Champagne ou mousseux

1 rondelle de citron

Mélanger le Campari, le curaçao et l'eau-de-vie de vin dans une coupe à champagne et emplir de champagne ou de mousseux. Poser la rondelle de citron à la surface. Si on préfère mettre davantage de champagne, on pourra préparer ce cocktail dans un grand verre.

FRENCH 75

2 cubes de glace

1 cl de jus de citron

2 cl de gin

2 cl de Cointreau,

1 cl de Pernod

Champagne

144

Un long drink français complété avec du champagne. Piler la glace et la mettre dans le shaker. Verser le jus de citron, le gin, le Cointreau et le Pernod par-dessus. Secouer brièvement mais énergiquement et vider le contenu dans un grand verre à cocktail. Remplir le verre de champagne, à volonté.

Fresco

FRESCO

3 morceaux de sucre

3 cuillerées à café de jus de citron

Champagne ou mousseux

1 spirale de zeste de citron

Ce cocktail au champagne convient à plusieurs occasions. En outre, il est très vite préparé.
Mettre le sucre dans un verre à cocktail, verser le jus de citron par-dessus et bien en imbiber le sucre. Remplir le verre de champagne et décorer avec le zeste de citron sur le rebord du verre. Servir avec une paille.

GOLDEN LADY

2 cubes de glace

1 cl de curaçao blanc

1 cl de jus d'orange

3 cl d'eau-de-vie de vin

Champagne ou mousseux

Mettre la glace dans le shaker. Verser les autres ingrédients par-dessus et secouer énergiquement. Transvaser dans une coupe et remplir de champagne.

GRAND MARNIER PICK-ME UP

2 à 3 cubes de glace

1,2 cl de jus d'orange

2,5 cl de Grand Marnier

Champagne

Piler la glace et la mettre dans le shaker avec le jus d'orange et le Grand Marnier. Secouer fortement. Verser dans une coupe à champagne et compléter avec du champagne.

JASMIN JULEP

2 à 3 cubes de glace

1 cuillerée à café de sucre

3 cl d'eau-de-vie de vin

1 fleur de jasmin

Champagne ou mousseux

Cette boisson se boit de mai à août pendant la saison du jasmin. On l'appréciera vraiment par une nuit chaude, installé dans le jardin ou sur le balcon.
Piler finement la glace. Remplir une coupe à champagne, jusqu'au tiers environ, de glace pilée, ajouter le sucre et l'eau-de-vie de vin. Décorer avec la fleur de jasmin et remplir délicatement le verre de champagne en faisant attention de ne pas abîmer la fleur. Servir avec une paille et une cuiller. Rien que le parfum de ce long drink est déjà grisant.

Knock-out

KNOCK-OUT

2 cubes de glace

2 cuillerées à café de sirop de sucre

2 cl de scotch

1 jaune d'œuf

Champagne ou mousseux

Voici un cocktail à la fois nourrissant et bon pour la circulation du sang.

Leo's special

MONTE CARLO IMPÉRIAL

| 2 à 3 cubes de glace |
| 2,5 cl de dry gin |
| 1,5 cl de crème de menthe blanche |
| 2 cuillerées à café de jus de limette |
| Champagne |

Si vous préférez les drinks à base de gin, choisissez plutôt le Monte Carlo impérial que voici.
Mettre la glace, le gin, la crème de menthe et le jus de limette dans le shaker. Secouer énergiquement quelques secondes et vider le contenu dans une coupe à champagne. Compléter avec du champagne.

MOULIN ROUGE

| 2 à 3 cubes de glace |
| 2 cl d'abricot brandy |
| 2 cl de jus de citron |
| 1 cuillerée à café de grenadine |
| 2,5 cl de gin |
| Champagne |
| 1 tranche d'orange |

Mettre la glace dans le shaker. Ajouter tous les autres ingrédients, excepté le champagne, secouer énergiquement et vider dans un verre à cocktail ou une coupe à champagne. Compléter par du champagne et servir avec une paille.

LEO'S SPECIAL

| 2 à 3 cubes de glace |
| 2 cl d'eau-de-vie de vin |
| 2 cl de curaçao triple sec |
| 1 cl de jus d'orange |
| 1 cl de jus de pamplemousse |
| Champagne ou mousseux |
| 1 cerise à cocktail |

Mettre la glace, l'eau-de-vie de vin, le curaçao triple sec et les jus de fruits dans le shaker. Secouer énergiquement quelques secondes et vider le contenu dans une coupe à champagne. Compléter avec du champagne ou du mousseux et garnir d'une cerise à cocktail. Servir avec un bâtonnet pour la cerise.

MIX IMPÉRIAL GLACÉ

| 1 cuillerée à dessert de glace à la vanille |
| 2 cl de kirsch |
| 2 cl de marasquin |
| Champagne ou mousseux |

Remuer doucement dans un verre à punch la glace, le kirsch et le marasquin. Remplir à bord de champagne ou de mousseux et servir avec une paille.

Mix impérial glacé

Monte Carlo impérial

Mettre la glace, l'abricot brandy, le jus de citron, la grenadine et le gin dans le shaker.
Agiter énergiquement
quelques secondes et verser
dans une coupe à cham-
pagne. Compléter avec du
champagne et décorer avec la
tranche d'orange.

Moulin Rouge

NAVY PUNCH

POUR 6 À 8 PERSONNES

2 ananas entiers

Sucre à volonté

25 cl de rhum

25 cl de cognac

25 cl de liqueur de pêche

Le jus de deux citrons

*1 gros cube de glace (de 25 cl
d'eau environ)*

*1 verre (200 g) de cerises à
cocktail*

3 litres de champagne

À consommer bien frais avec
modération et après avoir
mangé. En raison de sa composition qui comporte des
quantités importantes de spiritueux et de liqueur, ce
punch fait en réalité partie
des cups.
Peler les deux ananas, les
couper en quatre et retirer le
cœur. Couper les quartiers en
dés et sucrer à volonté. Les
mettre dans un saladier ; verser le rhum, le cognac, la
liqueur de pêche et le jus de
citron, par-dessus. Couvrir et
placer trente minutes au
réfrigérateur. Mettre le tout

avec les cerises et le gros cube
de glace dans un récipient à
punch. Compléter avec du
champagne très frais juste
avant de servir. Ne pas
oublier la cuiller pour déguster les fruits. On peut, bien
sûr, remplacer le champagne
par un vin sec mousseux.

NUITS ORIENTALES

2 à 3 cubes de glace

2 cl de vodka

2 cl de Cointreau

2 cl de jus de pamplemousse

1 pamplemousse évidé

Champagne

Mettre la glace, la vodka, le Cointreau et le jus de pamplemousse dans le shaker. Secouer énergiquement quelques secondes et verser dans le pamplemousse évidé. Compléter avec le champagne et servir avec une paille.

OHIO

2 à 3 cubes de glace

2 cl de vermouth rouge

1,5 cl d'eau-de-vie de vin

1,5 cl de cordial médoc

1 trait d'angustura

1 cerise au marasquin

1 demi-tranche d'orange

Champagne pour remplir le verre

L'État d'Ohio, en Amérique, a donné son nom à de nombreuses boissons. On parle de «direction Ohio» lorsque le cocktail est complété avec du champagne.

Pêche qui roule

PÊCHE QUI ROULE

1 pêche

Champagne ou mousseux

Faire environ vingt à trente trous dans la pêche avec un bâtonnet ou une fourchette et la déposer dans un verre (des verres spéciaux existent pour ce drink). Remplir le verre de champagne et attendre jusqu'à ce que la pêche roule sur elle-même. Vous pouvez être sûr qu'elle le fera.

Après avoir admiré le spectacle, vous pouvez couper la pêche en petits morceaux et la déguster avec un couteau et une fourchette.

PERLE ROUGE

2 cl de liqueur de mûre

1 demi-tranche d'ananas

Champagne

La liqueur de mûre colore le champagne en rouge. Mettre la liqueur de mûre dans une coupe à champagne. Ajouter la demi-tranche d'ananas et compléter avec le champagne.

PRINCE OF WALES

2 à 3 cubes de glace

1 trait d'angustura

1 cl de curaçao orange

1 cl d'eau-de-vie de vin

Champagne

1 demi-rondelle de citron

Mettre la glace, l'angustura, le curaçao orange et l'eau-de-vie de vin dans le shaker. Secouer énergiquement et

Nuits orientales

vider le contenu dans une coupe à champagne. Compléter par du champagne. Décorer avec la demi-rondelle de citron placée sur le rebord du verre.

QUEEN'S PEG

1 gros cube de glace

2,5 cl de dry gin

Champagne frappé

Même une reine ne resterait pas indifférente face à ce cocktail au champagne. Le nom de ce breuvage, en tout cas, le veut ainsi.
Mettre la glace dans un grand verre à vin. Verser le gin par-dessus et compléter avec le champagne frappé.

REVIEW

1 à 2 demi-prunes surgelées

2,5 cl d'abricot brandy

2,5 cl de jus de citron

1 cl de cognac

Champagne frappé

Mettre les prunes, l'abricot brandy, le jus de citron et le cognac dans le shaker. Bien secouer et verser le contenu dans une coupe. Compléter par le champagne.

Ritz cocktail

RITZ COCKTAIL

2 à 3 cubes de glace

1,5 cl de jus d'orange

1 cl de Cointreau

2,5 cl de cognac

Champagne frappé

Ce cocktail porte le nom du célèbre hôtelier suisse César Ritz (1850-1918) qui construisit son premier hôtel de luxe, le Ritz, Place Vendôme à Paris. Mettre la glace, le jus d'orange, le Cointreau et le cognac dans le shaker. Secouer énergiquement. Verser le contenu dans une coupe et compléter par le champagne.

149

ROYAL DRINK

1 cuillerée à dessert de petits morceaux d'ananas en conserve

1 à 2 cuillerées à dessert de glace pilée

1 cuillerée à café de curaçao orange

1 cuillerée à café de vin blanc

1 cuillerée à dessert de fraises

Champagne

Mettre les morceaux d'ananas dans un verre. Ajouter la glace, le curaçao orange et le vin blanc par-dessus. Remuer avec une longue cuiller. Ajouter délicatement les fraises. Compléter par le champagne et servir avec une paille et une cuiller.

Royal drink

SARATOGA

2 à 3 cubes de glace

1 trait de marasquin

1 trait d'orange bitter

1 cuillerée à café de jus d'ananas

5 cl de cognac

2 à 3 fraises

Champagne

En goûtant le Saratoga, vous comprendrez pourquoi les cocktails au champagne sont de plus en plus appréciés et dès lors, votre imagination ne sera plus en reste quant à la préparation d'autres cocktails au champagne.

Mettre la glace dans le shaker avec tous les ingrédients, excepté le champagne et les fraises. Bien secouer, verser dans une coupe à champagne, puis compléter avec le champagne. Ajouter les fraises et servir avec un bâtonnet.

Saratoga

SORBET ANANAS

2 cuillerées à dessert bien remplies de glace à la vanille

1 cuillerée et demie à dessert d'ananas coupé en dés

2 cl de curaçao ou de marasquin

Champagne ou mousseux

Mettre la glace à la vanille dans une coupe à sorbet ou dans un verre ballon. Décorer avec les dés d'ananas. Ajouter le curaçao ou le marasquin et remplir de champagne ou de mousseux. Servir avec une paille et une cuiller.

Sorbet ananas

SORBET ORANGE

2 cuillerées à dessert bien remplies de glace à l'orange

2 cuillerées à café d'orange bitter

1 cerise à cocktail

Champagne

Les sorbets sont les boissons glacées les plus anciennes. Les Orientaux les apprécient fortement, seuls ou agrémentés de liqueur ou d'alcool. Mettre la glace à l'orange dans une coupe à champagne. Ajouter l'orange bitter et compléter avec le champagne. Garnir avec la cerise. Servir avec une paille et une cuiller comme pour la plupart des sorbets.

Sorbet orange

TENTATIVE D'EXTINCTION

10 cl de pale ale

10 cl d'eau de Seltz

3 à 4 cubes de glace

Si la tête vous brûle et que vous avez la gorge sèche, cette «Tentative d'extinction» est un remède garanti. Mettre la bière (pale ale) et l'eau de Seltz dans un grand gobelet. Puis ajouter les glaçons.

Tentative d'extinction

Toscanini

TORRES SPÉCIAL SORBET

2 à 3 cuillerées à dessert bien remplies de glace à la mangue ou à l'orange

1 cuillerée à dessert de petits morceaux de mangue

3 cerises à cocktail

2,5 cl de liqueur d'orange ou de vanille

2,5 cl de cognac

Champagne

Ce sorbet pourra se servir en dessert. Mettre la glace à la mangue ou à l'orange dans un grand gobelet ou dans une coupe. Ajouter les morceaux de mangue et les cerises à cocktail. Verser la liqueur d'orange et le cognac. Compléter avec le champagne, puis servir avec une paille et une cuiller.

TOSCANINI

3 à 4 cubes de glace

2 cl de cordial médoc

1,5 cl de Cointreau

1,5 cl de cognac

Champagne frappé

Ce drink a reçu son nom du chef d'orchestre Arturo Toscanini (1867-1957). Mettre la glace et tous les ingrédients, excepté le champagne, dans le shaker. Secouer énergiquement et verser dans une coupe. Compléter avec le champagne frappé.

TREMPLIN

2 à 3 cubes de glace

5 cl de jus de maracuja

5 cl de champagne frappé

Mettre la glace dans une coupe à champagne. Verser le jus de maracuja par-dessus et compléter avec le champagne.

VIE EN ROSE

2 à 3 cubes de glace

1 cuillerée à café d'eau-de-vie de prune

1 cuillerée à café de sirop de framboise

1 cuillerée à café de cherry brandy

Champagne frappé

Ce cocktail est idéal pour accueillir les invités lors d'une réception. Il est conseillé de prendre un champagne très sec pour remplir le verre.
Mettre la glace, l'eau-de-vie de prune, le sirop de framboise et le cherry brandy dans le shaker. Bien secouer et verser dans une coupe à champagne. Compléter à volonté avec le champagne.

VULCANO

2 cl de chartreuse verte

2 cl de kirsch

1 trait de curaçao bleu

1 trait de curaçao blanc

Champagne frappé

Ne craignez pas de voir votre coupe à champagne éclater lorsque vous flamberez ce cocktail au champagne. Posez cependant la coupe sur un support résistant à la chaleur. Mettre la chartreuse, le kirsch et le curaçao dans une coupe à champagne, puis remuer. Flamber et éteindre ensuite la flamme avec le champagne frappé.

WILLIAMS FAVOURITE

2 cl d'eau-de-vie de poiré

2 cl de vermouth dry français

2 cl de liqueur de cassis

1 morceau d'ananas

1 tranche d'orange

Champagne

Verser l'eau-de-vie de poiré, le vermouth et la liqueur de cassis dans une coupe à champagne. Compléter par du champagne frappé. Ajouter un morceau d'ananas et placer la tranche d'orange sur le bord du verre pour décorer. Servir avec un bâtonnet.

Williams favourite

153

COCKTAILS À BASE DE

Ale passez muscade

Ce sangaree est complété avec de la bière et fait partie des long drinks.
Piler la glace et la mettre dans le shaker. Ajouter le sucre, le sirop de gingembre et la vodka et secouer fortement. Verser dans une grande coupe, remplir avec la bière et saupoudrer de muscade.

ALLAHBAD

POUR 2 À 4 PERSONNES

1 tranche de pain blanc grillé

1 pincée de noix de muscade râpée

Quelques feuilles de menthe poivrée

1 bouteille de vin du Rhin

2 bouteilles d'ale

On peut servir l'Allahbad au cours d'une réception ou bien l'offrir comme une spécialité lors d'une fête orientale.
Mettre le pain, la noix de muscade râpée, la menthe poivrée, lavée et essorée, dans une casserole ; remplir de vin et laisser macérer trente minutes. Verser le liquide dans une carafe et compléter avec la bière.

ALE PASSEZ MUSCADE

POUR 4 PERSONNES

3 jaunes d'œufs

3 cuillerées à café de sucre

1/2 litre d'ale

2,5 cl de whisky

1 pincée de noix de muscade râpée

Battre les jaunes d'œufs avec le sucre jusqu'à obtenir une pâte mousseuse. Mettre les autres ingrédients dans une petite casserole et faire chauffer à feu doux sans laisser bouillir. Ajouter lentement les jaunes battus avec le sucre en fouettant constamment. Servir aussitôt dans un verre à anse résistant à la chaleur.
À la place de l'ale, on peut aussi utiliser une autre bière blonde.

ALE SANGAREE

2 ou 3 cubes de glace

1 cuillerée à café de sucre

1 cuillerée à café de sirop de gingembre

5 cl de vodka

Bière blonde

1 pincée de muscade

Ale sangaree

Allahbad

Bière qui mousse

BIÈRE AUX AROMATES

POUR 2 À 3 PERSONNES

1 litre de bière brune

3 cuillerées à dessert de miel

1 pincée de poivre

1 pincée de clou de girofle en poudre

1 pointe de cannelle

1 cuillerée à dessert de sirop de gingembre

Faire chauffer tous les ingrédients dans une casserole sans laisser bouillir ; laisser infuser deux à trois heures. Remettre sur le feu, passer et servir le plus chaud possible dans des verres résistant à la chaleur.

BIÈRE QUI MOUSSE

POUR 4 À 6 PERSONNES

1 litre de bière blonde

Le zeste râpé d'un demi-citron

1/2 à 1 bâton de cannelle

1 cuillerée à dessert de sucre en poudre

4 jaunes d'œufs

Mettre la bière, le zeste de citron râpé et le bâton de cannelle dans une casserole. Faire frémir au bain-marie. Vider le contenu de la casserole dans une autre casserole. Refaire chauffer celle-ci au bain-marie. Battre les jaunes d'œufs et le sucre jusqu'à obtenir une pâte mousseuse. Mélanger délicatement cette mousse à la bière, tout en continuant à battre au fouet. Servir aussitôt cette boisson mousseuse dans des verres résistant à la chaleur.

155

Brise-glace

BIÈRE-YAOURT

Pour 2 personnes

25 cl de bière forte

2 pots de yaourt

1 cuillerée à café de jus de citron passé

2 rondelles de citron

1 à 2 cuillerées à café de compote d'airelles

Passer au mixer la bière, le yaourt et le jus de citron, verser dans des coupes, déposer une rondelle de citron dans chaque verre et garnir de compote d'airelles.

BLACK VELVET

12 cl litre de bière brune anglaise

12 cl de mousseux bien frais

La bière mélangée au mousseux donne une boisson particulièrement savoureuse. Celui qui ne connaît pas encore ce mélange devrait facilement se laisser convaincre. Verser la bière et le mousseux simultanément dans un verre à bière et servir aussitôt.

BOURGOGNE ARDENT

Pour 4 à 6 personnes

1 bouteille de vin de Bourgogne

1 cuillerée à café de gingembre en poudre

1 cuillerée à café de cannelle en poudre

3 clous de girofle passés à la moulinette

1/2 sachet de sucre vanillé

500 g de miel

Cette boisson qui est traditionnellement un vin chaud peut également se boire froid. D'une façon comme de l'autre, c'est un délice. Faire chauffer tous les ingrédients dans une casserole, tout en prenant garde de ne pas laisser bouillir. Retirer la casserole du feu juste avant le point d'ébullition et verser le punch dans une terrine préchauffée. Servir dans des verres à punch. Si on veut le boire froid, on versera le punch dans une carafe et on l'y laissera refroidir. Bien remuer avant de servir.

BRISE-GLACE

Pour 8 à 10 personnes

3 litres de vin rouge

1/2 bouteille d'arack

250 g de sucre

2 à 3 oranges

2 à 3 citrons

Le Brise-glace est un punch au vin rouge, connu surtout dans le nord de l'Allemagne où il est particulièrement apprécié l'hiver. Et pas seulement parmi les otaries! Mettre le vin rouge, l'arack et le sucre dans une casserole. Ajouter les oranges et les citrons coupés en fines rondelles. Faire chauffer le mélange jusqu'à ce qu'il frémisse et verser dans une carafe résistant à la chaleur. Servir dans des verres à punch ou à grog.

CABLEGRAM COOLER

3 à 4 cubes de glace

3 cl de sirop de sucre

Le jus d'un demi-citron

2 cl de whisky

Ginger ale

1 ruban d'écorce d'orange

Cette boisson est recommandée l'été pour apaiser la soif. Piler la glace. La mettre dans le shaker avec le sirop de sucre, le jus de citron et le whisky, puis secouer fortement. Verser dans une coupe. Compléter avec la ginger ale. Ajouter un glaçon selon le goût et garnir le bord du verre avec le ruban d'écorce d'orange.

CANE FROIDE

POUR 3 À 4 PERSONNES

1 bouteille de vin de Moselle bien frais

1 zeste de citron en spirale

1 demi-bouteille de mousseux bien frais

Sucre à volonté

Cubes de glace

La Cane froide est la boisson que les Allemands préfèrent lorsqu'ils vont au bal. On lui a même confectionné une robe de bal sur mesure : une carafe de cristal avec couvercle en argent et un pot à glaçons car la Cane froide se boit toujours glacée. Il est donc conseillé de bien réfrigérer tous les ingrédients et de mettre éventuellement la carafe dans un plat rempli de glace.

Verser le vin de Moselle dans une carafe en verre, y accrocher la spirale de citron et ajouter le mousseux juste avant de servir. Ne sucrer que modérément (ou mieux, ne pas sucrer du tout) car le sucre rend la tête lourde. Servir la Cane froide dans des verres à punch froids ou des gobelets. Ne pas laisser le zeste de citron plus de 10 minutes dans le mélange car le goût deviendrait trop prononcé.

Carnaby street

CARDINAL

POUR 5 À 6 PERSONNES

1/2 bouteille de vin rouge

2 bouteilles de vin blanc

125 à 150 g de sucre

L'écorce râpée d'une orange

Toute la saveur de cette boisson repose sur le vin. Choisissez-le donc avec un soin particulier. Mettre tous les ingrédients successivement dans une casserole et faire frémir. Ne pas laisser bouillir. Vider le contenu dans une terrine réchauffée et servir dans des verres à punch. Froid, ce punch est tout aussi délicieux. Vous pouvez alors y ajouter des morceaux d'ananas, de melon ou de pêche et servir avec une paille.

CARNABY STREET

POUR 2 PERSONNES

2 jaunes d'œufs

1 pincée de noix de muscade râpée

1 cuillerée à café de sucre candi roux

1 cuillerée à café de gingembre en poudre

50 cl d'ale

1 petit bâton de cannelle

1 cl de rhum

Voici un punch aux œufs délicieux et réchauffant. Battre les jaunes d'œufs, le gingembre et le sucre candi dans un plat jusqu'à obtenir un mélange mousseux. Faire chauffer le rhum, la cannelle et la bière (ale) dans une casserole, mais sans laisser bouillir. Sans cesser de remuer, ajouter lentement le mélange mousseux. Fouettez pour faire mousser. Servir le plus chaud possible dans des verres à punch.

Chartreuse Daisy

évasée ou dans un verre à champagne et garnir d'une cerise. Servir avec une cuiller. Avec la chartreuse, on peut aussi préparer un alléchant Chartreuse frappé : emplir aux trois quarts une coupe à champagne de glace, ajouter 5 cl de chartreuse, remuer et servir avec une paille.

CHURCHILL

2,5 cl de Campari

Bière blonde

Une boisson quelque peu insolite. Mettre le Campari dans un verre à bière et remplir à volonté de bière blonde.

CIDRE CHAUD

POUR 3 À 4 PERSONNES

1 bouteille de cidre

25 cl de jus de pomme

Le zeste râpé d'un demi-citron

60 g de sucre

1 bâton de cannelle

4 clous de girofle

Le jus de pomme donne au cidre chaud un arôme particulièrement fruité mais pas trop sucré. Mettre tous les ingrédients dans une casserole et faire chauffer. Attention, toutefois de ne pas faire bouillir pour ne pas laisser s'échapper l'alcool. Sucrer à volonté. Passer et servir immédiatement dans des verres à grog.

CHARTREUSE DAISY

3 cubes de glace

1 cuillerée à café de jus de citron

2 cl de chartreuse verte

3 cl d'eau-de-vie de vin

Eau de Seltz

3 cerises au marasquin

Les daisies sont servis avec très peu d'eau de Seltz et ne sont donc pas tout à fait inoffensifs. Si vous les servez avec davantage d'eau de Seltz, ils seront plus légers et mieux supportés.

Piler la glace et la mettre dans le shaker. Verser par-dessus le jus de citron, la chartreuse et l'eau-de-vie de vin. Secouer brièvement mais énergiquement. Verser dans une coupe

CINNAMON WINE

60 g de sucre

1/2 bâton de cannelle

3 clous de girofle

Le zeste d'un demi-citron

12 cl d'eau ou de thé

1 bouteille de vin rouge

Le jus d'un demi-citron ou d'un citron

Il existe des recettes extrêmement variées de vins chauds. Les nombreuses possibilités d'utiliser les différents ingré-dients modifient toujours le goût. Il faut en essayer beaucoup afin de trouver sa propre recette.

Faire bouillir dans une casserole le sucre, la cannelle, les clous de girofle et le zeste de citron avec l'eau ou le thé, puis laisser infuser vingt minutes. Faire frémir le vin rouge, filtrer le mélange d'épices, mélanger les deux et parfumer avec le jus de citron.

Ne jamais laisser bouillir le vin rouge. Selon le goût, on peut diminuer ou augmenter la dose de jus de citron et de sucre.

Claret cup

Cidre chaud

CLARET CUP

POUR 2 PERSONNES

1 verre et demi de vin rouge

2 clous de girofle

1 pincée de cannelle

2 jaunes d'œufs

1 cuillerée à café de sucre

1 pincée de noix de muscade râpée

Dans une casserole, faire chauffer le vin rouge, les clous de girofle et la cannelle en prenant garde de ne pas laisser bouillir. Retirer du feu et laisser ainsi quelques minutes. Pendant ce temps, battre les jaunes et le sucre dans un bol. Vider le contenu de la casserole et le battre avec les jaunes d'œufs et le sucre dans une autre casserole à feu doux. Remplir des verres à anse du mélange et saupoudrer de noix muscade juste avant de servir.

CLARET FIZZ

2 à 3 cubes de glace

Le jus d'un citron

4 cl de bordeaux rouge

Eau de Seltz

Piler la glace. La mettre dans
le shaker avec le jus de citron
et le bordeaux ; secouer énergiquement. Vider dans un
grand verre en retenant la
glace. Servir avec une paille.

CLARET FLIP

2 à 3 cubes de glace

1 jaune d'œuf

*2 cuillerées à café de sirop de
sucre*

5 cl de bordeaux rouge

Noix de muscade

Le Claret flip est la boisson
idéale après une soirée bien
arrosée. On passe au shaker la
glace et tous les ingrédients,
excepté la noix de muscade.

Claret flip

COBBLER
BOURGUIGNON

3 à 4 cubes de glace

1 cuillerée à café de grenadine

*1 cuillerée à café de cordial
médoc*

Vin de Bourgogne

*4 grains de raisin sur grappe
pour la décoration*

Piler la glace très finement.
En remplir un verre à cobbler
ou à vin jusqu'à la moitié.
Ajouter la grenadine, le cordial médoc et le jus d'orange
et compléter avec le vin
rouge. Décorer avec les grains
de raisin.

COCORICO

4 cubes de glace

12 cl de vin de Moselle

12 cl de porto

2 cl d'eau de Seltz

Le buveur de vin jure qu'il
existe un anti-gueule-de-bois
préparé avec du vin. En voici
justement un.
Piler la glace et la mettre dans
le shaker. Verser tous les
ingrédients par-dessus et
secouer fortement. Vider dans
un gobelet et servir avec une
paille.

COOLER AU
CITRON

3 à 4 cubes de glace

*2 cuillerées à café de sirop de
sucre*

Le jus passé d'un citron

Ginger ale bien frais

1 rondelle de citron

C'est ce cooler sans alcool
qu'il vous faudra préparer à
vos invités qui reprendront le
volant pour rentrer chez eux.
Mettre la glace dans un gobelet moyen. Verser le sirop de
sucre et le jus de citron par-
dessus. Compléter avec du
ginger ale bien frais. Garnir le
rebord du verre avec la rondelle de citron.

Cocorico

Cooler au citron

FRAISES AU VIN BLANC

POUR 2 PERSONNES

125 g de fraises bien mûres

2 cuillerées à café de jus de citron

2 cuillerées à café de sucre en poudre

Vin blanc de Bordeaux

Laver les fraises, les égoutter et les équeuter. Les répartir dans des coupes à champagne, les arroser de jus de citron et les saupoudrer de sucre. Remplir la coupe de vin blanc de Bordeaux et servir avec une cuiller.

GARGANTUA

2 bouteilles de bière blonde

1/2 bouteille de xérès

1 à 2 cuillerées à café de sucre

2 tranches de pain blanc grillé

Le zeste de 2 citrons

1 pincée de noix de muscade râpée

Faire frémir la bière et le xérès dans une casserole et sucrer à volonté. Émietter le pain et le jeter dans la casserole. Mettre les zestes de citron dans une terrine à punch et verser le mélange bière-xérès par-dessus. Épicer avec la muscade et servir aussitôt dans des verres à punch.

GLOEGG DES ALPES

POUR 4 À 6 PERSONNES

50 cl de vin rouge

50 cl de muscat

12 cl de vermouth rouge

1 trait d'angustura bitter

60 g de raisins secs

L'écorce d'une demi-orange et le zeste d'un demi-citron

1 cuillerée à dessert de gingembre confit concassé

60 g de sucre

12 cl d'aquavit

60 g d'amandes épluchées

Mettre dans un récipient résistant à la chaleur le vin rouge, le muscat, le vermouth et l'angustura avec les raisins secs, ainsi que les écorces d'orange, les zestes de citron et le gingembre. Laisser macérer quelques heures. Ajouter enfin le sucre, l'aquavit et les amandes. Faire chauffer à feu doux. Vider le contenu dans des verres à anse et servir avec des cuillers.

Gargantua

161

HOCK CUP

1 tranche d'ananas en conserve

1 à 2 cuillerées à dessert de jus d'ananas

1 trait de marasquin

1 trait de jus d'orange

5 cl de vin du Rhin

5 cl d'eau de Seltz

1 quartier d'orange

Mettre la tranche d'ananas dans un verre à punch froid, verser le jus par-dessus, ajouter le marasquin et le jus d'orange et remplir le verre de vin d'eau de Seltz. Déposer un quartier d'orange dans le verre.

HORSE'S NECK

1 zeste de citron en spirale

Le jus d'un citron

2 cubes de glace

1 cuillerée à café de sucre

Le jus d'un demi-pamplemousse

Ginger ale ou bitter lemon

On sert le Horse's neck dans une coupe à champagne bien qu'il ne contienne pas de champagne.
Déposer la spirale de citron dans la coupe. Mettre le jus de citron, la glace, le sucre et le jus de pamplemousse dans le shaker, agiter, verser dans la coupe à champagne et compléter avec du ginger ale ou du bitter lemon.

HOT LOCOMOTIVE

1 jaune d'œuf

1 cuillerée à café de sucre

1 cuillerée à café de miel

1,5 cl de curaçao triple sec

10 cl de vin rouge

1 rondelle de citron

1 pincée de noix de muscade râpée

Mélanger le jaune d'œuf, le sucre et le miel dans une casserole. Ajouter le curaçao et le vin rouge et faire frémir tout en continuant à battre. Déposer la rondelle de citron dans un verre réchauffé que l'on remplira de punch. Saupoudrer de noix de muscade râpée.

Hock cup

Hot locomotive

IDIOT

4 cl de vin rouge

1 cuillerée à café de sirop de sucre

6 cl environ de champagne ou de mousseux

1 ruban de zeste de citron

Le nom de ce cocktail ne s'explique pas. Par expérience, on ne sait qu'une chose : son goût est délicieux.
Verser le vin rouge dans une coupe à champagne, ajouter le sirop de sucre, emplir de champagne ou de mousseux et décorer avec le ruban de zeste de citron.

Idiot

Klondyke-cooler

LADY'S BEER CUP

POUR 2 PERSONNES

2 cl de rhum

12 cl de crème fraîche

2 cl de jus de cerise

50 cl de bière forte

Celui qui ne veut toujours pas croire que le cocktail à base de bière plaît aux hommes, soit, mais encore plus aux femmes, doit absolument essayer cette recette.
Mélanger le rhum, la crème et le jus de cerise dans une carafe, ajouter la bière, mélanger

délicatement, verser dans deux grands gobelets et servir aussitôt.

LILLY'S SMILE

Le jus d'un demi-citron

2 cuillerées à dessert de sucre rouge pour confiture

2 à 3 cubes de glace

5 cl de jus de poire

2,5 cl de rhum blanc

2,5 cl d'abricot brandy

Rosé mousseux

Préparer d'abord le givrage du verre. Mettre le sucre dans une soucoupe et le jus de

KLONDYKE-COOLER

3 à 4 cubes de glace

2,5 cl de jus de citron

2,5 cl de vermouth dry français

2,5 cl de vermouth rosso

2 cuillerées à café de sucre

Ginger ale

Ce cooler tient son nom de la région des chercheurs d'or, située sur le fleuve Klondyke, au Canada. Peut-être même que ce sont les chercheurs d'or qui ont découvert cette boisson. En tout cas, elle aurait été idéale dans cette région où le climat est chaud et humide.
Mettre la glace, le jus de citron, le vermouth et le sucre dans le shaker. L'envelopper dans une serviette et secouer longtemps et énergiquement. Vider le contenu dans un gobelet moyen et compléter par du ginger ale glacé. Servir avec une paille.

Lady's beer cup

Lilly's smile

Piler la glace et la mettre dans le shaker. Ajouter le vin, le rhum, le jus de citron et le sucre en poudre. Envelopper le shaker dans une serviette et secouer énergiquement pendant un bon moment. Verser le contenu dans un gobelet et compléter à volonté avec du ginger ale. Décorer avec les fruits et servir avec une paille et une cuiller.

Manhattan cooler

MOITIÉ-MOITIÉ

POUR 6 PERSONNES

1 bouteille et demie de vin rouge
1 bouteille et demie de vin blanc
1 bâton de cannelle (2 cm de long)
250 g de sucre

Mettre les vins et la cannelle dans une casserole. Faire bouillir. Mettre le sucre dans une carafe résistant à la chaleur. Verser le mélange vin-cannelle par-dessus et remuer.

citron dans une autre. Tremper le bord de la coupe à champagne d'abord dans le jus de citron, laisser sécher quelques secondes, puis le faire tourner dans le sucre et laisser sécher. Mettre la glace, le jus de poire, le rhum et l'abricot brandy dans le shaker, frapper quelques secondes et verser dans la coupe à champagne. Compléter avec le rosé mousseux et servir avec une paille.

MANHATTAN COOLER

3 à 4 cubes de glace
8 cl de vin de Bordeaux rouge et jeune
3 traits de rhum
1,5 cl de jus de citron
2 cuillerées à café de sucre en poudre
Ginger ale à volonté
1 cuillerée à dessert de fruits de saison

ingrédients et compléter avec le mousseux. Servir avec un bâtonnet ou une cuiller pour les cerises.

NIGHT CAP

50 cl de bière (ale)

2 cuillerées à café de sucre

2 cl d'eau-de-vie de vin

1 pincée de noix de muscade

Les caps sont des boissons qui font dormir. Il faut les servir aussitôt après les avoir préparées, mais, autant que possible, pas pendant les heures de bureau... vous risqueriez d'avoir de mauvaises surprises.
Faire frémir la bière (ale) et mélanger avec le sucre, l'eau-de-vie de vin et la noix de muscade. Verser dans un grand gobelet ou un verre à grog réchauffé, après avoir mis une cuiller pour éviter que le verre n'éclate. On peut

Mousse de bière

MOUSSE DE BIÈRE

POUR 4 À 6 PERSONNES

4 œufs

1 litre de bière

125 g de sucre

1 pincée de cannelle

Le zeste râpé d'un demi-citron

Fouetter les œufs et la bière dans une casserole, ajouter le sucre, la cannelle et le zeste de citron; faire chauffer à feu vif tout d'abord, puis à feu doux en fouettant jusqu'à ce que la mousse monte. Retirer du feu, continuer à battre cinq minutes et servir aussitôt dans des verres à anse.

MOUSSEUX VERT

1 cuillerée à café de glace pilée

2 cuillerées à café de chartreuse verte

3 cerises à cocktail

Mousseux bien frais

Mettre la glace pilée dans un verre à champagne, ajouter successivement les autres

Orange cooler

Night cap

1 *petit zeste de citron*

1 *tranche de pamplemousse*

3 *morceaux de sucre*

1 *cl de rhum*

Mettre l'eau et le vin rouge ainsi que les clous de girofle et le zeste de citron, dans un verre à punch résistant à la chaleur. Poser la tranche de pamplemousse sur le verre et les morceaux de sucre au-dessus. Arroser le sucre de rhum, flamber et laisser s'éteindre la flamme toute seule.

Il est conseillé de placer le verre sur une plaque isolante.

Petit vin aromatisé flambé

aussi remplacer l'eau-de-vie de vin par d'autres spiritueux, comme du whisky ou du cherry.

ORANGE COOLER

3 *à 4 cubes de glace*

2 *cuillerées à café de sucre*

10 *cl de jus d'orange sans pulpe*

Ginger ale

Mettre la glace, le sucre et le jus d'orange dans un grand verre. Remuer et compléter avec le ginger ale.

PETIT VIN AROMATISÉ FLAMBÉ

Environ 8 cl d'eau chaude

4 *cl de vin rouge chaud*

2 *clous de girofle*

Snowball

SCARLETT O'HARA

4 cl de southern comfort (liqueur de whisky à l'arôme de pêche)

4 cl de jus d'airelles

2 à 3 cuillerées à café de jus de limette

Mettre tous les ingrédients dans un verre à mélange. Bien remuer à l'aide d'une longue cuiller. Vider le contenu du shaker dans un verre à cocktail.

SILLABUB

POUR 4 À 6 PERSONNES

75 cl de vin blanc sec

25 cl de crème fraîche sucrée

100 g de sucre

1 cuillerée à dessert de jus de citron

Le Sillabub est tout aussi délicieux comme dessert. Mélanger tous les ingrédients et placer une heure au réfrigérateur. Passer, ensuite, au mixer. Verser dans des coupes et servir très frais.

SNOWBALL

4 cuillerées à dessert de glace pilée

5 cl de jus de citron

2 cuillerées à café de sucre

5 cl de whisky

Ginger ale

Mettre la glace, le jus de citron, le sucre et le whisky

PIED DE LIT

POUR 2 PERSONNES

1 jaune d'œuf

1 cuillerée à dessert de sucre

25 cl de bière brune

25 cl de lait chaud

Battre le jaune d'œuf et le sucre dans un récipient et mélanger délicatement d'abord avec la bière puis avec le lait.

PIMLET

3 à 4 cubes de glace

2,5 cl de Pimm's n° 1

Ginger ale

1 rondelle de citron

1 tranche d'orange

Le Pimlet est un long drink rafraîchissant, particulièrement apprécié dans les réceptions, en Grande-Bretagne. Piler finement la glace et la mettre dans un petit gobelet. Verser le Pimm's. Compléter par du ginger ale. Ajouter la rondelle de citron et la tranche d'orange dans le verre et servir avec une paille et une cuiller.

PIMM'S N° 1 CUP

2 à 3 cubes de glace

3 cl de Pimm's n° 1

1 tranche d'orange

1 rondelle de citron

1 spirale de peau de concombre

12 cl environ de limonade au citron ou à l'orange

Mettre la glace dans un grand gobelet. Ajouter le Pimm's n° 1, la tranche d'orange, la rondelle de citron et la spirale de peau de concombre. Compléter par la limonade et servir avec une paille et une cuiller.

Stone fence

Summer fizz

STONE FENCE

dans le shaker. Secouer énergiquement et verser dans un grand gobelet. Compléter avec le ginger ale. Servir avec une paille.

2 à 3 cubes de glace

5 cl de whisky

Cidre pour remplir le verre

1 spirale de peau de pomme

Mettre la glace dans un gobelet moyen. Verser le whisky par-dessus. Compléter avec le cidre. Accrocher la spirale de peau de pomme sur le rebord du verre.

SUMMER FIZZ

POUR 8 À 10 PERSONNES

12 brins de menthe fraîche

12 cl de jus de citron

25 cl d'eau chaude

225 g de gelée de cassis

12 cl d'eau froide

75 cl de jus d'orange

1 bloc de glace

1 bouteille de ginger ale

3 brins de menthe fraîche

Enfants et adultes aimeront cette boisson aromatisée.

Broyer la menthe à l'aide d'une cuiller dans le shaker. Ajouter le jus de citron, l'eau chaude et la gelée de cassis. Lorsque la gelée est fondue, verser l'eau froide. Laisser refroidir puis transvaser dans un récipient. Ajouter le jus d'orange, remuer et déposer la glace. Remplir de ginger ale et décorer avec la menthe juste avant de servir.

SUMMER SPLITTER

2 à 3 cubes de glace

Le jus passé d'un demi-citron

3 cl de sirop de sucre

Ginger ale

Piler grossièrement la glace et la mettre dans un grand verre. Ajouter le jus de citron et le sirop de sucre. Selon le goût, compléter avec du ginger ale.

TULIPE

2,5 cl de genièvre

Bière blonde

Il existe de nombreux cocktails à base de bière, bien sûr, mais peut-être celui-ci sera-t-il pour vous une nouveauté qui vous stimulera. Verser le genièvre dans un verre à bière. Compléter avec de la bière blonde.

VIN AROMATISÉ À L'ABRICOT

POUR 4 À 6 PERSONNES

250 g d'abricots frais

4 cuillerées à café de sucre

2 bouteilles de vin blanc

4 cl de curaçao

1 bouteille de mousseux

Peler les abricots, les séparer en deux et enlever les noyaux. Les saupoudrer de sucre et laisser macérer trente minutes. Verser une demi-bouteille de vin blanc et le curaçao sur les fruits et faites encore macérer une heure. Juste avant de servir, compléter avec le mousseux et le reste de vin.
À défaut d'abricots frais, on utilisera des abricots en boîte.

VIN AROMATISÉ À LA FRAISE

POUR 6 PERSONNES

750 g de fraises

200 g de sucre

3 bouteilles de vin

1 bouteille de champagne ou de mousseux

Laver les fraises, les équeuter, couper les grosses en deux et les mettre dans le saladier. Mélanger avec le sucre. Verser, par-dessus, une bouteille de vin, couvrir et laisser macérer vingt minutes. Puis ajouter le reste de vin. Verser le champagne juste avant de servir.

Vin aromatisé à la rose

Tulipe

170

Vin aromatisé à la framboise

Selon le goût, peler ou non les pêches. Leur enlever le noyau, les couper en quatre et les mettre dans un récipient à punch. Ajouter le sucre. Verser le porto et la liqueur de pêche par-dessus, couvrir et laisser macérer trente minutes au réfrigérateur. Puis verser le rosé et le vin blanc. Remuer avec délicatesse et goûter. Ajouter le champagne avant de servir dans des verres à punch avec des cuillers.

VIN AROMATISÉ À LA ROSE

POUR 6 À 8 PERSONNES

Pétales de 5 roses

2 cuillerées à dessert de sucre

3 bouteilles de vin du Rhin ou de Moselle

1 bouteille de champagne

Ce vin aromatisé a un parfum particulièrement grisant. Cette recette a été extraite d'un vieux livre ayant appartenu aux générations précédentes.
Mettre les pétales de rose et le sucre dans un litre de vin du Rhin ou de Moselle. Couvrir et placer une heure au réfrigérateur. Verser dans un récipient à punch. Ajouter le reste de vin et compléter avec le champagne avant de servir. Vous pouvez décorer en faisant flotter une rose dans le récipient.

VIN AROMATISÉ À LA FRAMBOISE

POUR 6 PERSONNES

500 g de framboises

2 cuillerées à dessert de sucre

1 bouteille de vin blanc

4 cl de rhum ou d'eau-de-vie de vin

1 bouteille de champagne bien frais

Ce punch froid peut se préparer avec du rhum ou bien avec de l'eau-de-vie de vin afin que les fruits conservent leur forme et leur couleur. Préparer les framboises avec le sucre et la demi-bouteille de vin blanc. Couvrir et laisser macérer une à deux heures au frais. Ensuite, ajouter à volonté du rhum ou de l'eau-de-vie de vin et compléter avec le reste de vin blanc. Ajouter le champagne juste avant de servir.

VIN AROMATISÉ À LA PÊCHE

POUR 4 À 6 PERSONNES

8 à 10 pêches fraîches

200 g de sucre en poudre

5 cl de porto rouge

5 cl de liqueur de pêche

3 bouteilles de vin blanc léger

1 demi-bouteille de rosé

1 bouteille de champagne

171

Vin aromatisé au céleri

VIN AROMATISÉ AU CÉLERI

POUR 8 À 10 PERSONNES

2 à 3 cubes de céleri

100 g de sucre

Le jus de deux citrons

25 cl d'arack

2 à 3 bouteilles de vin blanc

1 bouteille de champagne

Il faut, au moins une fois dans sa vie, avoir goûté ce vin aromatisé au céleri. Éplucher les bulbes de céleri, les couper en petites tranches très fines et les mettre dans un plat. Verser le sucre, le jus de citron et l'arack par-dessus. Couvrir et laisser macérer quatre à six heures. Transvaser dans un récipient à punch. Compléter avec le vin blanc et le champagne et servir très frais. On peut remplacer le champagne par une eau minérale ou un rosé.

CONSEIL

Il existe une autre version du Vin aromatisé au céleri pour les automobilistes, et celle-ci est vraiment inoffensive : on

Vin aromatisé au citron

supprime l'arack et on remplace le vin par du jus de pomme et le champagne par de l'eau gazeuse.

VIN AROMATISÉ AU CITRON

POUR 4 PERSONNES

2 spirales de zeste de citron

1 bouteille et demie de vin blanc bien frais

Le jus passé de deux à trois citrons

4 à 5 cuillerées à café de sucre

Vin aromatisé au melon

1 bouteille de champagne frappé

1 citron coupé en fines rondelles

Mettre les spirales de zeste de citron et une demi-bouteille de vin blanc dans un récipient à punch. Couvrir et laisser macérer trente minutes. Ajouter, ensuite, le jus de citron passé, le sucre et le reste de vin blanc. Bien remuer le tout jusqu'à ce que le sucre se soit dissous. Compléter avec le champagne et ajouter les rondelles de citron. Servir dans des verres à punch.

VIN AROMATISÉ AU MELON

POUR 6 À 8 PERSONNES

1 kg de pastèque

1 kg de melon sucrin ou cantaloup

1 cuillerée à dessert de sucre

2 bouteilles de vin blanc

1 bouteille de mousseux ou de champagne

Enlever les pépins de melon et de la pastèque. Former des petites boules à l'aide d'un appareil spécial utilisé pour les pommes de terre. Les mettre dans un saladier à punch. Faire macérer deux heures avec le sucre et une demi-bouteille de vin blanc.

Vin aromatisé au concombre

Verser le reste de vin blanc et le champagne ou le mousseux juste avant de servir.

VIN AROMATISÉ AU CONCOMBRE

POUR 6 À 8 PERSONNES

1 concombre frais

1/2 bouteille de vin blanc

4 cl d'arack

125 g de sucre

2 bouteilles de vin blanc

12 cl de porto

1 bouteille de mousseux bien frais

Voici un vin aromatisé pour connaisseurs. C'est le soir, en été, qu'il est le plus apprécié. Couper le concombre en fines rondelles, le mettre dans une terrine, ajouter le demi-litre de vin blanc, l'arack et le sucre, couvrir et laisser macérer une heure dans un endroit frais. Puis verser les deux autres bouteilles de vin blanc, couvrir et placer une demi-heure au réfrigérateur. Filtrer les rondelles de concombre et verser dans une terrine en grès ou une carafe ; ajouter le porto, remuer et, juste avant de servir, compléter avec le mousseux bien frais. On peut éventuellement décorer avec quelques rondelles de concombre.

173

Vin aromatisé aux kumquats

ajouter le sirop de sucre, le madère, l'eau-de-vie de vin et une bouteille de vin du Rhin. Couvrir et placer deux heures au réfrigérateur. Ajouter les deux bouteilles de mousseux ou de champagne juste avant de servir. Verser dans des verres spéciaux pour punch froid avec des cuillers pour déguster les fruits.

VIN AROMATISÉ AUX OLIVES

POUR 6 À 8 PERSONNES

250 g d'olives vertes farcies au paprika

12 cl de xérès sec

3 bouteilles de rosé

Ce vin aromatisé vous prouvera que les olives ne sont pas exclusivement destinées au martini. Elles donnent à cette boisson un arôme insolite qui semble venir d'ailleurs, car, souvent, on pense que le vin

VIN AROMATISÉ AUX GRIOTTES

POUR 6 PERSONNES

200 g de griottes dénoyautées

3 cuillerées à dessert de sucre

1 bouteille de champagne

5 cl de marasquin

5 cl d'eau-de-vie de vin

2 bouteilles de vin rouge de Bourgogne

Pour ce vin aromatisé, il est indispensable d'utiliser des griottes, c'est-à-dire des cerises aigres. Elles donnent plus d'arôme dans le vin aromatisé que les guignes. Mettre les griottes dans un plat avec le sucre, le marasquin et l'eau-de-vie de vin. Couvrir et laisser macérer une à deux heures au réfrigérateur. Transvaser ensuite, dans un récipient à punch et verser

le vin rouge par-dessus. Compléter avec le champagne juste avant de servir.

VIN AROMATISÉ AUX KUMQUATS

POUR 8 PERSONNES

200 à 250 g de kumquats en conserve

1 cuillerée à café de sirop de sucre

5 cl de madère

1 cl d'eau-de-vie de vin

1 bouteille de vin du Rhin

2 bouteilles de mousseux ou de champagne

Les kumquats, fruits du citronnier du Japon, proviennent de Chine, où ce mot signifie « orange d'or ». On connaît bien l'utilisation des kumquats dans les cocktails à

base de gin, de vodka et de whisky. Mais ces fruits sont également délicieux dans les vins aromatisés.
Égoutter les kumquats et les découper en rondelles. Les mettre dans un saladier et

Vin aromatisé aux olives

174

aromatisé ne se prépare qu'avec des fraises ou des pêches.

Couper les olives en rondelles, les mettre dans un plat et verser le xérès par-dessus. Couvrir et placer trente minutes au réfrigérateur. Verser dans un récipient à punch et compléter avec le rosé.

VIN AROMATISÉ AUX ORANGES

POUR 4 À 6 PERSONNES

| 5 oranges |
| 10 morceaux de sucre |
| 100 g de sucre en poudre |
| 6 cl de liqueur d'orange |
| 2 bouteilles de vin blanc |
| 1 bouteille de mousseux |

Frotter les morceaux de sucre sur les écorces d'oranges lavées auparavant. Éplucher les oranges (enlever la peau blanche également) et couper en tranches fines. Ôter les pépins. Écraser les morceaux de sucre. Les mettre dans un bol. Ajouter les tranches d'orange, le sucre en poudre, la liqueur d'orange et une bouteille de vin blanc. Couvrir et laisser macérer une heure. Puis verser la seconde bouteille de vin. Ajouter le mousseux bien frais juste au moment de servir.

Vin aromatisé Balaclava

VIN AROMATISÉ BALACLAVA

POUR 6 À 8 PERSONNES

| 10 cl de bordeaux |
| L'écorce fine d'un demi-citron |
| 1 petite branche de mélisse |
| Le jus de deux citrons |
| 2 cuillerées à dessert de sirop de sucre |
| 1/2 concombre non épluché coupé en tranches fines |
| 2 bouteilles de bordeaux |
| 10 à 15 cubes de glace ou 1 bloc de glace |
| 2 bouteilles d'eau de Seltz |
| 1 bouteille de mousseux ou de champagne |

Mettre les 10 cl de bordeaux, l'écorce de citron, la mélisse, le jus de citron, le sirop de sucre et les tranches de concombre dans un saladier bien froid. Couvrir et laisser macérer environ trente minutes pendant lesquelles on remuera de temps en temps. Enlever l'écorce de citron et la mélisse. Verser ensuite le bordeaux dans le saladier puis mettre dix minutes au réfrigérateur. Ajouter les cubes de glace, compléter avec le mousseux et l'eau de Seltz et servir immédiatement dans des coupes.

Si on ne met pas le saladier au réfrigérateur, on peut refroidir le contenu en y plongeant un très gros cube de glace.

VIN AROMATISÉ DE MAI

| 2 bouquets de petit muguet |
| 1 bouteille de vin blanc léger |
| 1 orange coupée en tranches |
| 1 bouteille et demie de rosé |
| 1/2 bouteille de mousseux ou de champagne |
| 1 gros cube de glace |

On se procurera le petit muguet la veille. Il ne faut pas qu'il soit déjà en fleurs. On le lavera bien et on le fera sécher toute la nuit. Verser le vin blanc dans un bol à punch. Y mettre une tranche d'orange. Attacher le petit muguet à un fil et le laisser tremper dans le vin. Les tiges ne doivent pas être en contact avec le vin ; d'ailleurs, c'est dans les feuilles, uniquement, que se trouve tout l'arôme. Couvrir et mettre trente minutes au réfrigérateur. Retirer le petit muguet. Verser le rosé. Ajouter, à volonté, d'autres tranches d'orange. Avant de servir, compléter avec du mousseux ou du champagne. Mettre le gros cube de glace dans le récipient.

Vin aromatisé de mai

Vin aromatisé exotique

VIN AROMATISÉ EXOTIQUE

POUR 8 À 10 PERSONNES

1/2 pastèque

6 à 8 dattes fraîches

5 cl de cognac

1 petite mangue

1 à 2 kiwis

1 kaki

3 bouteilles de vin blanc

1 bouteille de champagne ou de mousseux

C'est surtout l'été que l'on apprécie les vins aromatisés. Éplucher la pastèque et nettoyer les dattes, couper les fruits en petits morceaux et les mettre dans un récipient. Les arroser de cognac, dénoyauter la mangue, l'éplucher et la couper aussi en petits morceaux. Peler les kiwis et les couper en fines rondelles. Peler aussi le kaki, le couper d'abord en deux puis en fines rondelles. Mettre les morceaux de fruits dans le récipient et verser une bouteille de vin blanc par-dessus. Couvrir et laisser macérer la préparation environ une heure. Juste avant de servir, ajouter le reste de vin et le champagne ou le mousseux. Remuer délicatement et servir dans des verres spéciaux avec une cuiller ou un bâtonnet pour les fruits. En outre, on peut aussi servir ce vin aromatisé dans une pastèque évidée qu'on aura auparavant mise au frais.

VIN AROMATISÉ FLAMBÉ

POUR 4 À 6 PERSONNES

3 bouteilles de bordeaux

1 écorce d'orange

1 zeste de citron

5 clous de girofle

1 petit pain de sucre

1 bouteille de rhum à forte teneur en alcool

Cette boisson a toujours eu ses amateurs, aujourd'hui encore.
Mettre le vin dans une marmite en cuivre. Placer, dans un petit sachet de gaze, l'écorce d'orange, le zeste de citron et les clous de girofle, le nouer avec une ficelle à la marmite et le plonger dans le vin. Poser les pincettes à cheminée sur la marmite et placer dessus le pain de sucre. Arroser de rhum et flamber.

Continuer à verser le rhum jusqu'à ce qu'il soit consommé et que le pain de sucre soit complètement fondu et ait coulé dans le vin. Puis retirer les pincettes et le sachet d'aromates. Servir dans des verres résistant à la chaleur.

VIN AROMATISÉ PARADIS

POUR 6 À 8 PERSONNES

3 pêches

250 g d'ananas

125 g de melon épluché

125 g de cassis

125 g de framboises

1/2 bouteille de vin blanc

150 à 200 g de sucre

250 g de fraises

Le jus d'un citron

2 bouteilles de vin blanc

1 bouteille de champagne

Vin aromatisé paradis

Couper les pêches, le melon et l'ananas en dés et les mettre dans un saladier avec les baies de cassis et les framboises. Faire frémir la demi-bouteille de vin blanc avec le sucre, puis verser sur les fruits. Laisser refroidir. Passer les fraises et le jus de citron au mixer et les ajouter au mélange. Avant de servir, compléter avec le vin blanc bien frais et le champagne.

VIN CHAUD FRANÇAIS

2 bouteilles de bordeaux rouge

200 g de sucre

1/2 bâton de cannelle

1 pointe de noix de muscade râpée

1 feuille de laurier

Mettre le vin rouge, le sucre, la cannelle, la muscade et le laurier dans une casserole. Faire frémir. Filtrer dans une autre casserole. Servir aussitôt dans des verres résistant à la chaleur.

Vin chaud français

Vin aromatisé flambé

COCKTAILS À BASE D'EAU, DE
DE CAFÉ ET DE LAIT

ALEXANDER

2 cl de crème de cacao noir

4 cl de lait

L'Alexander est un apéritif absolument délicieux. Bien mélanger la crème de cacao et le lait; verser dans un verre à cocktail et servir bien frais.

ATTELEUR

1/2 cuillerée à café de sucre

3/4 de tasse de café très chaud

1 cuillerée à dessert de crème chantilly

Les fiacres viennois, même s'ils disparaissent de plus en plus, font toujours partie du décor de Vienne. Voici, donc, l'origine de «l'Atteleur». Il paraît que les cochers de fiacre le dégustaient dans

Barbados flip

leurs cafés habituels, à l'heure de la pause quotidienne. En tout cas, la crème fraîche fait aussi partie de cette boisson, et, à Vienne, elle porte un nom spécial («Schlagober» qui signifie crème fouettée, l'équivalent de notre crème chantilly).

Mettre le sucre dans un verre. Verser du café très chaud par-dessus. Remuer. Surmonter d'un dôme de crème chantilly.

BARBADOS FLIP

POUR 4 PERSONNES

2 bananes

4 jaunes d'œufs

5 cuillerées à dessert de sirop d'arbouse

2 cuillerées à dessert de sucre en poudre

1/4 litre de lait

1 pointe de cannelle.

Voici un cocktail à base de lait qui peut tout à fait servir de dessert. Passer tous les ingrédients au mixer et servir dans des coupes.

Alexander

THÉ,

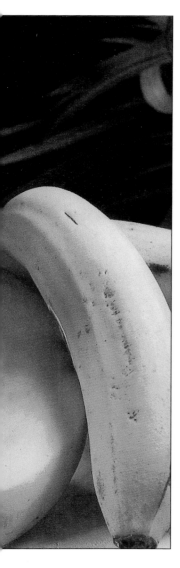

BOSOM CARESSER

3 cubes de glace

1 œuf

2 cl de sirop de sucre

2 cl d'eau-de-vie de vin

12 cl de lait

Piler la glace et la secouer fortement avec tous les ingrédients dans le shaker. Verser dans une coupe et servir avec une paille.

Bosom caresser

179

De gauche à droite : Cacao vital, Cacao flip

CACAO AUX AMANDES DE LISSY

10 g d'amandes douces

1 goutte d'huile d'amande amère

25 cl de lait

1 cuillerée à dessert de cacao en poudre sucré

Les enfants apprécient ce cacao aux amandes – même s'ils n'aiment pas le lait d'habitude. Passer les amandes dans l'eau bouillante, les éplucher, les moudre et les faire bouillir dans le lait ; laisser infuser une demi-heure pendant laquelle on remuera le lait de temps en temps afin qu'il ne se forme

CACAO FLIP

12 cl de crème fraîche bien froide

1 jaune d'œuf

3 cuillerées à café de cacao soluble à froid

4 cl de crème de cacao

Passer tous les ingrédients au mixer et servir bien frais dans un gobelet. Le flip sera plus corsé si l'on utilise du curaçao à la place de la crème de cacao. Servir avec une paille.

BREAKFAST EGGNOG

2 cubes de glace

1 œuf entier

2 cuillerées à café de sirop de sucre

2,5 cl de curaçao orange

2,5 cl d'eau-de-vie de vin

5 cl de lait

À l'origine, l'eggnogg est une boisson de bar. En revanche, le Breakfast eggnog peut se boire au petit-déjeuner. Piler la glace et la mettre dans le shaker. Verser les autres ingrédients par-dessus et secouer fort le shaker pendant un bon moment. Vider le contenu dans une grande timbale et servir avec une paille. Si, à la place du curaçao, on utilise la même quantité de sirop de framboise, on obtient le Bosom caresser.

Café à la cheik

pas de peau. Ajouter l'huile d'amande amère et faire chauffer encore une fois. Verser dans une coupe ou un gobelet et mélanger avec le cacao en poudre. Fouetter et servir.

CACAO VITAL

2 cuillerées à café de cacao
soluble sucré

12 cl d'eau bouillante

Le jus passé d'une orange

Remuer le cacao sucré dans
l'eau bouillante et ajouter le
jus d'orange. Servir dans une
tasse ou un gobelet.
Une boisson rafraîchissante
pour les jours de grande chaleur : le Cablegram Cooler.

CAFÉ ACAPULCO

1 cuillerée à café bien remplie
de café soluble

40 g de sucre en poudre

25 cl d'eau froide

1 cuillerée à café de rhum

1 cuillerée à café de jus de
citron

2 à 3 cubes de glace

Le Café Acapulco est une
boisson rafraîchissante pour
les jours de grande chaleur,
d'ailleurs tout aussi délicieuse
sans rhum.
Mélanger le café soluble, le
sucre en poudre et l'eau.
Aromatiser de rhum et de jus
de citron. Mettre les glaçons
dans un grand verre et verser
le mélange par-dessus. Servir
avec une paille.

Café au cognac aux œufs

CAFÉ À LA CHEIK

2 cuillerées à café de café
moulu

2 cuillerées à café de
cardamome pressée

1 tasse d'eau bouillante

Voici un café épicé à offrir
comme un souvenir d'Arabie.
Mettre le café et la cardamome dans deux tasses différentes. Emplir chaque tasse à
moitié d'eau bouillante.
Verser le contenu des deux
tasses dans une autre tasse,
passée auparavant sous l'eau
chaude, mélanger. À l'origine,
cette boisson se déguste sans
sucre parce que la cardamome et le sucre se marient
assez mal.

CAFÉ AU COGNAC AUX ŒUFS

4 cl de liqueur aux œufs

Café chaud pour remplir le
verre

2 cuillerées à dessert de crème
chantilly

1 pincée de café moulu

Généralement, après un repas
on sert à part le café et la
liqueur. Mélangez-les, ce sera
encore meilleur, vous verrez !
Verser la liqueur aux œufs
dans une tasse réchauffée,
remplir de café et surmonter
d'un dôme de crème chan-
tilly. Saupoudrer de café
moulu.

CAFÉ AU KIRSCH

2 à 3 cuillerées à dessert de
glace pilée

2 traits de marasquin

1 pincée de sucre

2,5 cl de moka froid

2,5 cl de kirsch

Emplir un verre à cocktail de
glace jusqu'au quart. Laisser
tomber le marasquin goutte à
goutte par-dessus.
Saupoudrer de sucre. Verser le
moka et le kirsch par-dessus.
Remuer avec une cuiller à
mélange. Servir le café au
kirsch avec une sous-tasse,
une cuiller et une paille.

CAFÉ AU LAIT

POUR 2 PERSONNES

12 cl de lait très chaud

12 cl de café très chaud

1 à 2 morceaux de sucre.

Cette boisson se retrouve sur
toutes les cartes françaises.
On la sert à toute heure de la
journée.
Servir le café et le lait séparément dans deux petits pots.
Remplir les tasses simultanément avec la même quantité
de lait et de café. Sucrer à
volonté.

CAFÉ BELGE OU CAFÉ DE BELGIQUE

POUR 4 PERSONNES

1 blanc d'œuf

12 cl de crème fraîche

1/4 de cuillerée à café de sucre vanillé

10 cl de café chaud.

Le Café belge termine agréablement un repas réussi.
Battre le blanc d'œuf jusqu'à obtenir une neige bien ferme. Puis fouetter la crème avec le sucre vanillé. Mélanger le blanc en neige et la crème. Remplir ensuite quatre tasses à café de ce mélange jusqu'au tiers. Puis verser le café chaud dans les tasses et servir immédiatement.
On peut évidemment rajouter du sucre selon le goût.

CAFÉ BRÛLOT

2 morceaux de sucre

3 cl de kirsch

12 cl de café fort et très chaud

1 cuillerée à dessert de crème Chantilly

Ce sont les hommes qui apprécient particulièrement le Café Brûlot ; ils aiment en boire à toute heure de la journée et surtout après le dîner. Mettre les morceaux de sucre

dans une tasse réfractaire, mouiller avec une cuillerée à café de kirsch et flamber. Sitôt la flamme éteinte, verser le reste de kirsch, ajouter le café et garnir d'un dôme de crème chantilly.

Café belge ou café de Belgique

CAFÉ CAPRICCIO

3/4 de tasse de café fort et très chaud

2 cl de Cointreau

1/2 cuillerée à café de sucre vanillé

1 cuillerée à dessert de crème chantilly

Un café stimulant et délicieux apprécié tant par les hommes que par les femmes.
Verser le Cointreau dans une tasse remplie aux trois quarts de café. Décorer d'un dôme de crème chantilly sucrée avec le sucre vanillé.

De gauche à droite : Café Acapulco, Café Rio, Café de cacao râppé

CAFÉ COBBLER 1

3 à 4 cubes de glace

2 cl de cognac

Café froid fort et sucré

Ce Café cobbler pourra être servi en plein été à l'heure du café.
Piler finement la glace. La mettre dans un verre à pied. Ajouter le cognac et verser le café par-dessus. Remuer avec une cuiller à mélange et servir avec une paille.

CAFÉ COBBLER 2

2 à 3 cubes de glace

4 cl d'eau-de-vie de vin

4 cl de liqueur de café

4 cl de sirop de sucre

Café froid

Un cobbler que beaucoup préfèrent à un café traditionnel.
Râper finement la glace. En remplir un verre à cobbler ou une coupe à champagne jusqu'au tiers. Aplatir la glace, verser l'eau-de-vie de vin, la liqueur et le sirop par-dessus et compléter avec le café. Servir avec une paille.

CAFÉ DANOIS

POUR 8 À 10 PERSONNES

6 œufs

Le zeste râpé d'un demi-citron

100 à 120 g de sucre

75 cl d'eau

Café fort

12 cl d'eau-de-vie de vin

Battre ensemble les œufs et le zeste de citron jusqu'à obtenir une préparation mousseuse. Jeter peu à peu le sucre sans cesser de battre, pour que la crème s'épaississe. Puis, mélanger d'abord avec le café et, ensuite, avec l'eau-de-vie de vin. Servir dans des tasses ou des verres ballon ou à punch rafraîchis.

CAFÉ DE CACAO FRAPPÉ

2 cubes de glace

2,5 cl de crème de cacao

2,5 cl de moka très fort et froid

2 à 3 cerises à cocktail

Piler la glace et la mettre dans une coupe à champagne. Verser par-dessus la crème de cacao et le moka. Décorer avec les cerises. Servir aussitôt avec une paille et une cuiller.

Café des montagnes

Café danois

CAFÉ DE COPENHAGUE

50 cl d'eau

5 cuillerées à café bien remplies de café moulu (50 g)

40 g de sucre

1 pointe de cannelle

4 clous de girofle

4 verres (2 cl chacun) de rhum

Faire bouillir l'eau. La verser sur le café dans le filtre et répartir dans quatre verres à grog ou dans des tasses, sucrer et ajouter une pointe de cannelle. Mettre un clou de girofle dans chaque tasse et y verser délicatement un verre de rhum par-dessus. Ne pas remuer et servir très chaud.

CAFÉ DES INDES OCCIDENTALES

3/4 de tasse de moka

2 morceaux de sucre

2 cl de rhum

1 clou de girofle

Le zeste râpé d'un demi-citron

1 cuillerée à dessert de crème chantilly

1 bâton de cannelle

Un mélange un peu insolite mais délicieusement bon. Mélanger le moka, le sucre, le rhum, le clou de girofle et le zeste de citron dans une tasse à café et décorer d'un dôme de crème chantilly. Servir avec le bâton de cannelle pour remuer.

CAFÉ DES MONTAGNES

POUR 2 PERSONNES

1 jaune d'œuf

2,5 cl de rhum

2 cuillerées à café de sucre

12 cl de café très chaud

Crème fraîche liquide

Mélanger le jaune d'œuf avec le rhum et le sucre. Ajouter le café chaud et fouetter le tout. Verser dans des tasses et servir aussitôt. Présenter avec de la crème fraîche liquide à part.

CAFÉ FLIP

1 jaune d'œuf

2 cuillerées à café d'extrait de café

1 cuillerée à dessert de crème fraîche

2 cl de cognac ou d'eau-de-vie de vin

1 cl de marasquin

2 cubes de glace

1 cuillerée à café de crème chantilly,

1 pincée de café moulu

Café hollandais

Mettre le jaune d'œuf, l'extrait de café, la crème fraîche, le cognac ou l'eau-de-vie de vin et le marasquin dans le shaker.
Bien secouer. Verser dans un verre à flip ou à cocktail. Ajouter les glaçons, surmonter d'un dôme de crème chantilly. Saupoudrer de café moulu. Servir aussitôt avec une paille.

CAFÉ GLACÉ

1 cuillerée à dessert bien remplie de glace à la vanille

12 cl de café fort glacé

2 cuillerées à dessert de crème chantilly

2 gaufrettes

Mettre la glace à la vanille dans une coupe remplie de café, surmonter d'un dôme de crème chantilly et servir accompagné de gaufrettes.

CAFÉ HOLLANDAIS

2 cl de liqueur aux œufs

12 cl de café fort et très chaud

1 cuillerée à dessert de crème chantilly

1/2 cuillerée à café de café moulu

1/2 cuillerée à café de cacao

Cette recette rappelle un petit-déjeuner hollandais, agréable et copieux.
Mettre la liqueur aux œufs dans une tasse réchauffée. La remplir de café et surmonter d'un dôme de crème chantilly. Saupoudrer la crème, de café moulu et de cacao. Servir avec une cuiller.

Café punch aux œufs

CAFÉ PUNCH AUX ŒUFS

POUR 2 À 3 PERSONNES

250 g de sucre

5 jaunes d'œufs

50 cl de café noir très chaud

Une petite gâterie exquise mais très riche en calories. Battre les jaunes d'œufs et le sucre jusqu'à obtenir une préparation mousseuse qu'on mélangera au café dans une casserole. Faire chauffer à feu doux en fouettant légèrement jusqu'à ce que ça monte. Servir dans des verres à anse bien réchauffés avec une paille.

CAFÉ RIO

POUR 4 PERSONNES

1 petit pot de glace à la vanille ou au moka (500 ml)

8 cuillerées à café d'extrait de café

50 cl d'eau froide

4 cuillerées à café de liqueur de moka

Voici une boisson rafraîchissante l'après-midi et idéale pour clore un repas bien réussi.
Passer au mixer tous les ingrédients, excepté la liqueur de moka. Verser dans quatre verres à long drink dans lesquels on ajoutera une cuillerée à café de liqueur de moka. Servir avec une paille.

CAFÉ TURC

POUR 6 PERSONNES

6 cuillerées à dessert de café moulu au goût bien corsé

Environ 3 cuillerées à dessert de sucre

40 cl d'eau froide

1 pincée de cardamome ou de poudre de clous de girofle par tasse

La façon authentique de préparer le Café turc est de le faire dans une cafetière que les Turcs appellent «jezve». La mousse qui se forme à la surface et qui fait partie du café turc est due à la forme de la cafetière. La cafetière turque, en effet, s'effile vers sa partie supérieure avant de s'élargir à nouveau au niveau du rebord. Mettre le café moulu, le sucre et une partie de l'eau (mettre de côté trois cuillerées à dessert d'eau) dans la cafetière. Bien remuer le tout et faire chauffer à feu moyen. Puis, retirer la «jesze» du feu et répartir, dans chaque tasse. Ajouter le reste d'eau dans la cafetière, faire chauffer le tout et verser dans chaque tasse, de façon équitable. Aromatiser avec la cardamome ou la poudre de clous de girofle.

CAPPUCCINO

1 tasse de café fort et très chaud

1 pincée de cannelle

1 cuillerée à dessert de crème chantilly

1 cuillerée à café de cacao en poudre ou de chocolat râpé

Sucre à volonté

Que ce soit sur la Riviera italienne ou française, en Suisse ou dans le Tyrol du Sud, le Cappuccino fait partie des plaisirs de l'après-midi. Le café est aromatisé avec la cannelle, décoré d'un dôme de crème chantilly et saupoudré de poudre de cacao ou de chocolat râpé. On le déguste avec ou sans sucre.

CARAMEL FLIP

2 à 3 cubes de glace

1 jaune d'œuf

1/2 cuillerée à café de café soluble

5 cl de crème de cacao

Mettre la glace, le jaune d'œuf, le café soluble et la crème de cacao dans le shaker. Envelopper le shaker dans une serviette et le secouer brièvement mais énergiquement. Verser le contenu dans une coupe à champagne et servir aussitôt avec une paille.

CHERRY MILK

25 cl de lait très froid

4 cl de sirop de cerise

3 cl de cherry brandy

Vous revenez de la piscine, d'une promenade en vélo ou d'une partie de tennis et vous êtes un peu épuisé. Ce milk-mix va vous redonner de l'énergie.

Mettre tous les ingrédients dans un verre à mélange, secouer énergiquement et servir aussitôt avec une paille dans une timbale. Si on ne la sert pas immédiatement, la boisson devient légèrement fade.

COCKTAIL À LA PRUNE

12 cl de jus de prune

Le jus d'une demi-orange

1 cuillerée à café de miel

25 cl de lait

Passer tous les ingrédients au mixer, transvaser dans un grand verre et servir aussitôt avec une paille.

COCKTAIL AU CHOCOLAT

3 cubes de glace

3 cl de porto

1 cl de chartreuse jaune

1 cl de crème de cacao

1 cuillerée à café de chocolat râpé

Mettre la glace et tous les ingrédients dans le shaker.

Secouer énergiquement quelques secondes, puis vider le contenu dans un verre à cocktail.

COCKTAIL FRUITÉ AUX NOISETTES

12 cl de lait froid

12 cl de jus d'orange

1 à 2 cuillerées à café de pâte de noisette

Passer tous les ingrédients au mixer. Servir dans un gobelet avec une paille.

COCOA RICKEY

1 cuillerée à dessert bien remplie de glace à la vanille

4,5 cl de crème de cacao

1 cuillerée à café de lait

Eau de Seltz

Sucre à volonté

Mettre la glace à la vanille dans un grand verre. Ajouter la crème de cacao et le lait ; compléter avec l'eau de Seltz. Remuer avec une cuiller à mélange et sucrer à volonté. Servir avec une paille et une cuiller.

Eggnog

EGGNOG

2 cubes de glace

1 jaune d'œuf

2 à 3 cuillerées à dessert de sucre en poudre

5 cl d'eau-de-vie de vin

12 cl de lait froid

1 pincée de noix de muscade râpée

Une boisson au lait, très saine et contenant peu d'alcool. Mettre d'abord les deux glaçons dans le shaker. Ajouter le jaune d'œuf, le sucre en poudre et l'eau-de-vie de vin. Bien secouer et vider dans un grand verre. Verser le lait, remuer un peu, saupoudrer de muscade et servir avec une paille.

FAKIR

12 cl de lait froid

2 cl de sirop d'ananas

2 cl de sirop d'orange

1 cuillerée à café de sucre vanillé

Coca-Cola

Voici une boisson, fraîche et sans alcool, qui se prépare rapidement.

Mélanger dans un verre le lait, le sirop d'orange et d'ananas, aromatiser de sucre vanillé et emplir de Coca-Cola. Servir bien frais avec une paille.

FLIP AMANDE

POUR 4 PERSONNES

120 g d'amandes épluchées

1/2 sachet de sucre vanillé

2 cuillerées à dessert de sucre

2 jaunes d'œufs

25 cl de lait

12 cl de crème fraîche

1 cuillerée à thé de sucre

4 cuillerées à dessert de sauce chocolat

Passer les amandes au mixer. Ajouter le sucre vanillé, le sucre, les jaunes d'œufs et le lait et mixer une nouvelle fois. Verser dans des gobelets moyens. Battre la crème avec le sucre jusqu'à obtenir de la crème chantilly. Décorer avec cette crème chantilly sur laquelle on fera couler de la sauce chocolat. Servir avec une paille.

FLIP À L'ARBOUSE

2,5 cl de sirop d'arbouse

25 cl de lait froid

1 jaune d'œuf

Passer tous les ingrédients au mixer, verser dans un grand gobelet et servir avec une paille.

Flip à l'arbouse

FLIP À LA PÊCHE

1 à 2 demi-pêches en boîte

1 cuillerée à café de sirop d'arbouse

2 cl de lait concentré

1 œuf

25 cl de lait froid

Les enfants aussi apprécieront ce flip nourrissant. Passer tous les ingrédients au mixer et servir dans un grand gobelet.

FLIP AU JUS DE RAISIN

12 cl de lait froid

12 cl de jus de raisin bien frais

1 jaune d'œuf

2 cuillerées à café de sucre

Passer tous les ingrédients au mixer, puis servir dans un grand gobelet.
Les enfants apprécieront encore davantage ce flip si on remplace le sucre par du sirop de grenadine.

FLIP AUX HERBES

12 cl de lait

125 g d'herbes (persil, ciboulette, fenouil sauvage)

1 jaune d'œuf

12 cl de crème fraîche

2 cl de gin

1 pincée de sel et 1 pincée de poivre

1 cl de ketchup

Flip amande

Voici une boisson à la fois tonique et fortifiante. Prise en début de repas, en guise d'entrée, c'est une façon agréable et saine de faire le plein de vitamines.

Passer au mixer le lait, les herbes, le jaune d'œuf et la crème fraîche, verser dans une carafe, ajouter le gin et épicer avec sel, poivre et ketchup. Servir dans un grand gobelet.

FLIP BANANE

2 cubes de glace
12 cl de lait
2 cl de crème fraîche liquide
1 jaune d'œuf
1 banane
Le zeste râpé d'un demi-citron
2 à 4 cuillerées à café de sucre

Ce cocktail à base de lait peut convenir aux malades et aux gens fatigués comme fortifiant . C'est aussi une boisson rafraîchissante.
Piler la glace et la mettre dans le shaker. Ajouter tous les ingrédients par-dessus avec, tout d'abord, peu de sucre ; agiter fortement le shaker et verser le contenu dans une grande coupe.

FLIP FRAISE

5 cl de sirop de fraise
3 cuillerées à dessert de purée de fraises fraîches
4 cl de lait
1 cuillerée à dessert de glace à la fraise
1 jaune d'œuf

Voici un flip sans alcool que l'on peut aussi servir le matin. Passer tous les ingrédients très rapidement au mixer. Verser aussitôt dans un gobelet ou une coupe et servir avec une paille.
Si on ne le sert pas immédiatement, le flip devient aqueux, insignifiant et perd son goût.

FLIP MIEL

2 gros cubes de glace
2 cuillerées à café de miel
2 cl de jus de cassis
25 cl de lait
1 jaune d'œuf

Un drink à boire le matin ou à l'heure du thé. Mettre tous les ingrédients dans le shaker, agiter quelques secondes et passer dans un grand gobelet. Servir avec une paille.

Flip banane

189

Frappé fraise

FUROR BAVARICUS

POUR 1 À 2 PERSONNES

1 citron

8 morceaux de sucre

25 cl de lait

1 jaune d'œuf

Ce «réchauffant de l'âme» se doit d'être servi aussi brûlant que le péché. Ce n'est qu'ainsi qu'il réchauffe, bien qu'il ne contienne aucun alcool. Frotter le sucre sur le zeste et le faire fondre dans une casserole avec le lait très chaud. Battre le jaune d'œuf dans un petit gobelet et le mélanger au lait tout en continuant de fouetter. Ceci doit se faire à feu doux jusqu'aux premiers frémissements. Servir dans des tasses réchauffées ou des verres à anse résistant à la chaleur.

GAZOUILLIS DU HAREM

1 à 2 cuillerées à dessert de glace au citron

4 cl de thé glacé

4 cl environ de vin rouge

Remplir une coupe à champagne, jusqu'au tiers environ, de glace au citron, verser le thé par-dessus et compléter avec le vin rouge. Servir avec une longue cuiller et une paille.
Un vin rouge de Bourgogne conviendra parfaitement.

Gazouillis du harem

FRAPPÉ FRAISE

1 pot de yaourt bien frais

2 cuillerées à café de sucre vanillé

2 à 3 cuillerées à dessert de fraises écrasées légèrement sucrées

C'est une boisson idéale pour les petits creux entre les repas; elle ne contient pas d'alcool ni de glace. Battre le yaourt et le sucre vanillé dans un verre. Verser la moitié de ce mélange mousseux dans une coupe, mettre les fraises écrasées par-dessus et ajouter le reste de yaourt battu. Servir avec une cuiller.

190

Hit au marasquin

HIT AU MARASQUIN

1 jaune d'œuf

1 cuillerée à dessert rase de sucre en poudre

4 cl de marasquin

12 cl de lait très chaud

Mélanger le jaune d'œuf et le sucre jusqu'à obtenir une mousse. Ajouter le marasquin et verser dans un gobelet. Remplir de lait chaud, remuer et servir.

HOT COFFEE

4 morceaux de sucre

2 cl d'armagnac

12 cl de café fort très chaud

Mettre le sucre dans un verre résistant à la chaleur, réchauffer un peu l'armagnac, le verser par-dessus et flamber. Une fois la flamme éteinte, remplir le verre de café.

Ice-cream frappé framboise, Ice-cream frappé pêche

ICE-CREAMS FRAPPÉS

Contrairement aux glacés et frappés mixés avec des glaçons ou de la glace pilée, les ice-creams frappés sont toujours préparés avec de la crème glacée. On les sert — avec ou sans alcool — au goûter, par les jours de grande chaleur. Ils sont présentés dans de grands gobelets avec une paille et une longue cuiller.

ICE-CREAM FRAPPÉ FRAMBOISE

2 cuillerées à dessert bien remplies de glace à la framboise

4 cl de lait

1 cl d'eau-de-vie de framboise

2 cuillerées à café de sirop de framboise

Mettre tous les ingrédients dans le shaker et secouer, ou bien les passer au mixer. Puis verser dans une coupe à champagne et servir avec une paille.

ICE-CREAM FRAPPÉ PÊCHE

2 cuillerées à dessert bien remplies de glace à la vanille

2 cl d'eau-de-vie de vin

4 cl de lait

2 demi-pêches en conserve

1 lamelle de pêche

Passer soigneusement au mixer la glace à la vanille, l'eau-de-vie de vin et les demi-pêches. Verser dans une coupe à champagne. Décorer avec la lamelle de pêche et servir avec une paille.

IRISH COFFEE

4 cl de whisky irlandais

3 cuillerées à café de sucre

12 cl de café fort et très chaud

2 à 3 cuillerées à dessert de crème légèrement fouettée

Réchauffer un verre tulipe à vin ou un verre à Irish coffee. Y mettre le sucre et le whisky et remplir le verre de café. Faire couler la crème sur le café en la laissant glisser sur le dos d'une cuiller contre la paroi du verre.

LAIT AU CITRON AVEC UN DOIGT D'ALCOOL

POUR 4 PERSONNES

4 à 6 cubes de glace

50 cl de lait

12 cl de crème fraîche

Le zeste râpé et le jus de trois citrons

4 cl de curaçao blanc

Mettre la glace et tous les ingrédients dans un verre à mélange, remuer avec une longue cuiller, puis verser dans quatre coupes. Servir avec une paille.

De gauche à droite : Lait mixé aux cerises, Lait mixé aux abricots

LAIT MIXÉ AUX ABRICOTS

POUR 4 PERSONNES

200 g d'abricots

4 cuillerées à dessert de sucre

50 cl de lait.

4 cl de Cointreau

12 cl d'eau de Seltz

Passer au mixer tous les ingrédients. Verser dans les verres et compléter avec l'eau de Seltz. Servir avec des pailles.

LAIT MIXÉ AUX CERISES

POUR 4 PERSONNES

250 g de cerises dénoyautées

40 g de massepain

50 cl de lait

4 cl de rhum

12 cl d'eau de Seltz

8 cl de crème chantilly

Pistaches hachées

Passer au mixer les cerises, le massepain, le lait et le rhum. Verser dans les verres et compléter avec l'eau de Seltz.

Décorer avec la crème chantilly et parsemer de pistaches hachées. Servir avec pailles et longues cuillers.

MAMIE CHALEUREUSE

1 cuillerée à dessert de miel

200 g de lait chaud

1 jaune d'œuf

2 cl d'eau-de-vie de vin ou de rhum

1 pincée de noix muscade râpée

On peut faire confiance à ce bon sédatif: le lait chaud, le

Maté glacé

miel et le jaune d'œuf, c'est connu, exercent un effet apaisant, tandis que l'alcool raffine la boisson.

Faire fondre le miel dans le lait chaud. Battre le jaune jusqu'à ce qu'il mousse et l'ajouter au lait. Verser dans une tasse ou un gobelet en porcelaine réchauffé. Affiner avec l'eau-de-vie de vin ou le rhum et saupoudrer de noix muscade râpée.

MATÉ GLACÉ

1 cuillerée à café de maté (sorte de thé)

12 cl d'eau bouillante

1 cuillerée à dessert bien rempliede glace à la vanille

Le maté se boit généralement chaud. Mais cette version glacée est tout aussi intéressante.
Verser l'eau bouillante sur le maté dans un gobelet. Laisser infuser cinq minutes et filtrer. Passer rapidement le maté refroidi au mixer avec la glace à la vanille et servir aussitôt dans une coupe avec une paille.
Il existe encore une autre version séduisante : boire le maté chaud ou froid dans des petites citrouilles ou des petits melons évidés.

MAZZAGRAN

3 cubes de glace

2 cl d'eau-de-vie de vin

2 cl de marasquin

1 trait d'angustura

2 cuillerées à café de sirop de sucre

Café froid pour remplir le verre

Clous de girofle moulus pour saupoudrer

Mazzagran

Mettre la glace dans un grand gobelet. Verser l'eau-de-vie de vin, le marasquin, l'angustura et le sirop de sucre et compléter avec le café froid. Remuer avec une longue cuiller. Parsemer d'un peu de poudre de clous de girofle et servir avec une paille.

193

MÉLANGE IMPÉRIAL

12 cl de café fort et très chaud

12 cl de lait

1 jaune d'œuf

1 trait d'eau-de-vie de vin

Sucre

Mettre le café et le lait dans un gobelet. Mélanger. Incorporer le jaune d'œuf et le battre. Ajouter l'eau-de-vie de vin et sucrer.

MILK-SHAKE AU MOKA

Pour 4 personnes

10 cuillerées à café bien rempliesde café soluble

2 cuillerées à café de cacao en poudre

2 cuillerées à dessert de sucre

50 cl de lait

12 cl de crème fraîche

Cacao en poudre pour décorer

Mélanger le café soluble, le cacao et le sucre dans un plat avec un petit peu de lait, jusqu'à obtenir une crème bien lisse. Puis ajouter le reste de lait et remuer. Verser dans des coupes à champagne ou des grands verres. Battre la crème fraîche en chantilly. Déposer une cuiller à dessert de crème dans chaque verre. Saupoudrer de cacao et servir avec une paille et une cuiller.

Milk-shake au moka

MILK-SHAKE À L'ORANGE

Pour 4 personnes

25 cl de jus d'orange

L'écorce râpée d'une orange et demie

2 cl de marasquin

4 cuillerées à dessert bien remplies de glace à la vanille

2 cuillerées à dessert de sucre en poudre

40 cl de lait

8 cuillerées à café de chocolat râpé

Passer tous les ingrédients au mixer, excepté le chocolat. Verser dans des coupes à champagne. Déposer deux cuillerées à café de chocolat râpé dans chaque verre.

MOKA

1 litre d'eau

100 g de café finement moulu

Cette boisson tient son nom de la ville de Moka sur la mer Rouge ; cette ville était le port d'où l'on exportait, au XVe siècle, le célèbre café du Yémen.

Le moka désigne, aujourd'hui, un café particulièrement corsé dont les grains sont moulus très fin. On utilise, pour cela, un moulin à café spécial pour moka. Mais, en général, la plupart des magasins spécialisés peuvent moudre le café très finement, selon le désir du client. On sert le moka dans une petite cafetière et on le boit dans de petites tasses (il existe,

Milk-shake à l'orange

d'ailleurs, des services à moka spéciaux). Il peut se boire sucré, mais surtout pas avec du lait.

Faire bouillir l'eau. Mettre le café dans un filtre. Verser l'eau lentement par-dessus. Servir le moka très chaud.

MOKA ITALIEN

2 cuillerées à café de sucre

1 pointe de cannelle

1/2 tasse de café fort et très chaud

1/2 tasse de chocolat chaud

Mettre le sucre et la cannelle dans la tasse à café et ajouter successivement le café et le chocolat ; mélanger. On peut aussi servir cette boisson dans un verre tulipe.

MONA LISA

Le jus d'un demi-citron

2 cuillerées à dessert de sucre

2 à 3 cubes de glace

3,5 cl de crème de cacao

1,5 cl de vermouth dry français

1 cerise à cocktail

Peut-être qu'après avoir bu ce cocktail, votre sourire aura-t-il l'air aussi mystérieux que celui de la célèbre Joconde. Mettre le jus de citron dans une soucoupe et le sucre dans une autre. Tremper le bord d'un verre à cocktail dans le jus de citron, puis dans le sucre ; laisser égoutter vingt secondes, le verre retourné ; laisser sécher. Mettre les autres ingrédients sauf la cerise dans le shaker. Secouer énergiquement et verser dans le verre givré. Garnir d'une cerise piquée sur un bâtonnet.

Pendennis toddy

NEGRO MIX

2 cuillerées à café de cacao soluble

4 cl d'eau-de-vie de vin

1/2 cuillerée à café de café soluble,

2 cuillerées à café de crème fraîche

25 cl de lait

2 à 3 cubes de glace

Passer tous les ingrédients au mixer. Mettre la glace dans un grand verre. Verser dessus le mélange mixé. Servir aussitôt avec une paille.

PENDENNIS TODDY

2 cuillerées à café de miel

2 cuillerées à café d'eau

2 cuillerées à café de kirsch

5 cl de bourbon

12 cl de thé noir léger

1 cerise à cocktail

1 tranche d'orange

1 rondelle de citron

Faire fondre le miel dans l'eau. Concasser la glace et la mettre dans le verre. Verser le kirsch et le whisky dessus. Remuer avec une longue cuiller. Remplir le verre de thé. Décorer avec la cerise, la tranche d'orange et la rondelle de citron. Servir avec une paille.

PETIT-DÉJEUNER D'HOMME

2 à 3 cubes de glace

1 œuf entier

2,5 cl d'eau-de-vie de vin

2,5 cl de curaçao

2 cl de sirop de sucre

20 cl de lait froid

En consommant cette boisson au petit-déjeuner, vous serez sûr d'avoir une énergie débordante tout au long de votre journée. Et cette boisson est également conseillée aux femmes, malgré son nom. Mettre la glace dans le shaker. Ajouter l'œuf, l'eau-de-vie de vin, le curaçao et le sirop de sucre. Secouer énergiquement quelques secondes et passer dans un grand gobelet. Verser le lait par-dessus et servir avec une paille.

PORTO EGGNOG

1 jaune d'œuf

2 cuillerées à café de sucre en poudre

5 cl de porto

12 cl de lait

Noix de muscade

Rêve ananas

Cet eggnog à base de porto est nourrissant et remplace facilement un goûter. Mettre tous les ingrédients dans l'ordre indiqué dans le shaker. Bien secouer et verser dans un grand gobelet. Servir avec une paille.

RÊVE ANANAS

POUR 4 PERSONNES

4 tranches d'ananas en boîte

2 cuillerées à dessert de miel

Moelle extraite d'un demi-bâton de vanille

50 cl de lait

12 cl de crème fraîche

1 cuillerée à dessert de sucre

2 cuillerées à café de marasquin

2 cuillerées à café de croquant concassé pour saupoudrer

Passer les tranches d'ananas au mixer ; puis ajouter le miel, la vanille et le lait et remuer rapidement. Répartir dans quatre verres. Battre la crème avec le sucre et mélanger délicatement la crème chantilly obtenue avec le marasquin. Décorer avec la crème et saupoudrer avec le croquant.

REVIVER

2 à 3 cubes de glaces

5 cl de sirop de framboise

2,5 cl d'eau-de-vie de vin

Lait froid

Mettre la glace, le sirop de framboise et l'eau-de-vie de vin dans un grand gobelet. Compléter avec le lait, bien remuer et servir avec une paille.

SAMBA EGGNOG

2 à 3 cubes de glace

2 cuillerées à café de sirop de sucre

2 jaunes d'œufs

5 cl de porto

1,5 cl de rhum

1,5 cl de cherry brandy

5 cl de lait

Mettre tous les ingrédients, dans l'ordre indiqué, dans le shaker. Secouer énergiquement quelques secondes, puis verser dans un grand gobelet ou une grande coupe. Servir aussitôt avec une paille.

SANGAREE AU BRANDY

5 cl d'eau-de-vie de vin

2 cl de sirop de sucre

Thé froid ou eau de Seltz

Noix de muscade

Mettre l'eau-de-vie de vin et le sirop de sucre dans le shaker et secouer fortement. Verser dans un gobelet moyen. Compléter avec le thé ou l'eau de Seltz. Râper un peu de noix de muscade par-dessus.

SLIWOWITZ COCKTAIL

2 à 3 cubes de glace

2 cl de sliwowitz

1,5 cl de café froid et fort

1,5 cl de crème fraîche liquide

1 pincée de café soluble

Mettre la glace, le sliwowitz, le café et la crème dans le shaker. Secouer énergiquement quelques secondes, verser dans un verre à cocktail et saupoudrer de café soluble.

Swiss flip

SWISS FLIP

2 à 3 cubes de glace

2,5 cl d'eau-de-vie de prune

2,5 cl de cheri suisse

2 cuillerées à dessert de sucre en poudre

1/2 à 1 cuillerée à café de café soluble instantané

5 cl de crème fraîche

1 pincée de café moulu

Mettre tous les ingrédients dans l'ordre indiqué, excepté le café moulu, dans le shaker. Secouer énergiquement, puis verser dans une grande coupe ou un grand gobelet. Saupoudrer d'une pincée de café moulu et servir aussitôt avec une paille.

THÉ GLACÉ AU CURAÇAO

2 à 3 cubes de glace

4 cl de thé noir fort et froid

4 cl de sirop de sucre

4 cl de curaçao

2 cl de lait concentré

Mettre tous les ingrédients dans le shaker et bien secouer. Verser dans une timbale en retenant les cubes de glace. Servir avec une paille.

THÉ GLACÉ DE CUBA

1 à 2 cuillerées à café de morceaux d'ananas

4 cl de rhum

Thé noir glacé

1 à 2 cubes de glace

Samba eggnog

Mettre les morceaux d'ananas dans un plat. Verser le rhum par-dessus, couvrir et laisser macérer trente minutes. Verser ensuite cette préparation dans un grand gobelet que l'on remplira de thé noir glacé. Rajouter des glaçons selon le goût et servir avec une paille.

TIGER'S MILK

4 cuillerées à dessert de glace pilée

2 cuillerées à café de grenadine

5 cl de crème fraîche

5 cl de lait

5 cl d'eau-de-vie

1 pincée de cannelle en poudre

Passer tous les ingrédients au mixer, servir dans un grand gobelet avec une paille.

Babeurre à la mode

BABEURRE À LA FRAISE

200 g de babeurre

2 cl de sirop de fraise

2 cuillerées à café de fraises fraîches

Passer les ingrédients au mixer. Mettre quinze minutes au réfrigérateur. Servir avec une paille.

BABEURRE À LA MODE

12 cl de babeurre

3 cuillerées à café de pain noir de Westphalie râpé

5 cl de jus de fruits, selon la saison

Passer tous les ingrédients au mixer et servir très frais dans une grande timbale ou un verre à anse.

BABEURRE À LA POMME

POUR 2 À 3 PERSONNES

25 cl de babeurre

1 pomme moyenne râpée

Le zeste râpé d'un demi-citron

1 cuillerée à café de sucre

Cette boisson sans alcool est très rafraîchissante en été. Passer tous les ingrédients au mixer et servir très frais dans de grandes coupes.

BABEURRE AUX CASSIS

POUR 2 PERSONNES

12 cl de babeurre

12 cl de jus de cassis

1/4 de banane

2 cuillerées à café de germe de blé

Passer tous les ingrédients au mixer. Mettre quinze minutes au réfrigérateur.

BABEURRE À L'ARBOUSE

3 cl de babeurre

2 cl de sirop d'arbouse

Passer tous les ingrédients au mixer. Verser dans une timbale moyenne. Servir avec une paille.

BABEURRE AUX FRUITS

12 cl de babeurre

125 g de griottes en semi-conserve

1 cuillerée à dessert de sucre

12 cl de crème

1 cuillerée à dessert d'amandes en poudre

Passer au mixer le babeurre, les cerises égouttées et le sucre. Mettre dans un plat. Battre la crème jusqu'à ce qu'elle devienne compact et la mélanger au reste. Servir dans des coupes et garnir avec les amandes.

ATHLETIC

4 cubes de glace

6 cl de crème fraîche liquide

6 cl de jus de raisin

2 cl de jus de citron sans pulpe

1 jaune d'œuf

1 cuillerée à café de sucre

Eau de Seltz

Aucune goutte d'alcool n'entre dans la composition de l'Athletic. D'ailleurs, son nom indique bien qu'il est la boisson idéale du sportif soucieux de conserver la forme. Mettre tous les ingrédients, excepté l'eau de Seltz, dans une grande coupe et fouetter. Selon le goût, compléter avec l'eau de Seltz à la fin.

SANS ALCOOL

Boisson aux mûres

BOISSON AUX MÛRES

125 g de mûres bien mûres

25 g de sucre

1 cuillerée à café de jus de citron sans pulpe

1 cube de glace

Eau de Seltz

1 rondelle de citron

Passer au mixer les mûres, le sucre, le jus de citron et la glace pilée. Verser dans un verre ballon. Compléter avec l'eau de Seltz. Inciser la rondelle de citron et la fixer sur le bord du verre. Servir avec une paille.

BOISSON DES DIEUX

POUR 2 PERSONNES

Le jus d'un demi-citron

2 cl de sirop d'orange

2 cl de sauce chocolat

1 cuillerée à dessert bien remplie de glace à la vanille

1 cuillerée à dessert bien remplie de glace au chocolat

1/2 litre de lait

2 rondelles d'orange

1 cuillerée à dessert de granules de chocolat

Ce lait glacé aura toujours du succès.
Passer au mixer le jus de citron, le sirop d'orange, les glaces à la vanille et au chocolat et le lait. Verser dans de grands gobelets, décorer avec les rondelles d'orange et les granules de chocolat et servir avec une grande cuiller et une paille.

Carlotta

BRAMBLE-BRAMBLE

POUR 2 PERSONNES

125 g de mûres

40 g de sucre

12 cl d'eau

2 cl de sirop de mûres

1 pincée de cannelle

Cette boisson chaude ne contient pas d'alcool.
Faire bouillir les mûres avec le sucre et l'eau, passer au tamis au-dessus d'une coupe, remuer, ajouter le sirop et mélanger, puis épicer avec la cannelle.
Si on utilise des mûres en conserve, on n'ajoutera pas d'eau. On les fera bouillir dans leur jus.

CARLOTTA

4 cl de jus de céleri

4 cl de jus de carotte

4 cl de jus de pomme

1 doigt de jus de citron

1 cuillerée à café de persil haché

BONANZA FREEZE

2 cl de sirop d'ananas

2 cl de sirop d'orange

1 cuillerée à dessert d'ananas râpé

3 cubes de glace

Eau de Seltz

2 cuillerées à dessert de glace aux fruits

1/2 rondelle d'orange

On peut modifier le goût de ce long drink en y ajoutant différentes sortes de glaces. Mettre le sirop d'ananas, le sirop d'orange et l'ananas râpé dans une grande coupe. Ajouter les glaçons et, selon le goût, compléter avec de l'eau de Seltz. On peut mettre une boule de glace de son choix et garnir d'une tranche d'orange. Servir avec une cuiller et une paille.

Chapala

200

Les amateurs de jus de légumes ne sont pas oubliés non plus.
La préparation est très simple. Remuer tous les ingrédients dans une timbale et servir bien frais mais sans glace.

CHAPALA

12 cl de jus d'orange

2 cuillerées à café de grenadine

1 pincée de piment de Cayenne

Sel

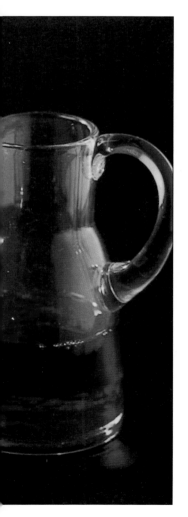

Mélanger le jus d'orange et la grenadine dans un grand verre, épicer de sel et de piment de Cayenne et servir dans un verre à cocktail.

DJAKARTA DRINK

POUR 2 PERSONNES

75 cl d'eau

4 tranches de gingembre vert

50 g de sucre candi

Voici une boisson chaude qui réjouira tous les amateurs de gingembre.
Mettre l'eau, le gingembre et le sucre candi dans une casserole et faire bouillir. Laisser infuser quinze minutes et filtrer. Servir très chaud dans des verres à anse.
On peut aussi, bien sûr, préparer cette boisson avec de l'alcool. Le rhum et l'arack sont conseillés, car ils conviennent parfaitement à ce genre de boisson.

DRINK À LA MANDARINE ET AU GINGEMBRE

2 à 4 cubes de glace

12 cl de jus de mandarine

2 cuillerées à café de sucre

2 cl de sirop de gingembre

1 rondelle de mandarine

Voici un drink rafraîchissant auquel vous pouvez, bien sûr, rajouter de l'alcool.
Mettre la glace et tous les ingrédients, excepté la rondelle de mandarine, dans un

Drink à la mandarine et au gingembre

verre et bien mélanger. Verser dans une timbale dans laquelle on ajoutera la rondelle de mandarine. Servir bien frais avec une paille. Rajouter à volonté un ou deux glaçons.

DRINK AU GINGEMBRE

12 cl de jus d'orange passé

2 cuillerées à café de sirop de sucre

2 cl de sirop de gingembre

1 ou 2 cubes de glace

Bien mélanger tous les ingrédients dans un grand gobelet. Servir très frais avec une paille, avec ou sans glace.

201

Grapefruit highball

GRENADINE SHAKE

2 cl de grenadine

1 cuillerée à dessert de jus de citron

1 cuillerée à dessert bien remplie de glace à la vanille

12 cl de lait

Passer tous les ingrédients au mixer et verser le mélange obtenu dans un grand gobelet ou une grande coupe.
Décorer éventuellement avec une rondelle de citron sur le bord du verre. Servir avec une paille.

De haut en bas : Grenadine shake, Grenadine à l'eau

GRAPEFRUIT HIGHBALL

2 à 3 cubes de glace

2,5 cl de grenadine

7,5 cl de jus de pamplemousse

Eau de Seltz ou ginger ale

Voici une boisson sans alcool qui convient tout à fait pour une garden-party.
Mettre, dans un grand verre, les glaçons, la grenadine et le jus de pamplemousse.
Compléter avec l'eau de Seltz ou le ginger ale. Mélanger et servir avec une paille.
On peut aussi présenter ce cocktail dans un demi-pamplemousse évidé pour donner une petite note d'originalité.

GRENADINE À L'EAU

2 à 3 cubes de glace

5 cl de sirop de grenadine

Eau de Seltz

Les invités qui doivent rentrer chez eux en voiture sauront apprécier cette boisson sans alcool.
Mettre la glace dans un grand gobelet. Verser le sirop de grenadine par-dessus et compléter avec l'eau de Seltz. Servir avec une paille.

GUÉRISSEUSE

1/2 botte de fenouil sauvage

1/2 botte de persil

1/2 botte de pimprenelle

8 cl de jus d'orange

25 cl de lait froid

Sel, poivre blanc

1 cuillerée à thé de miel

1 tige de persil pour décorer

Guérisseuse

Les guérisseuses disparaissent lentement, mais avec leurs recettes, on peut toujours se préparer des boissons miraculeuses qui rendent la pleine forme à un homme épuisé. Laver les herbes et les mixer en purée. Ajouter le jus d'orange, le jus de citron et le lait. Épicer de poivre et sel. Sucrer, selon le goût, avec du miel ou du sucre et mixer une nouvelle fois. Verser dans un grand gobelet, décorer avec la tige de persil et servir.

HAWAÏ SHAKE

2 cl de pulpe de fraise

1 cuillerée à dessert bien pleine d'ananas râpé en conserve

1 cuillerée à dessert bien pleine de glace à la vanille

12 cl de lait

Plus ce lait glacé sera servi frais, meilleur il sera. Passer tous les ingrédients au mixer, verser dans un grand gobelet et servir avec une paille et une longue cuiller.

HORCHATA

<small>POUR 4 À 6 PERSONNES</small>

100 g de pépins de melon

100 g de sucre

75 cl d'eau

Le zeste râpé d'un demi-citron

4 à 6 cubes de glace

Passer les pépins de melon à la moulinette ou au mixer, puis les mettre dans une cruche. Ajouter le sucre, l'eau et le zeste de citron et laisser macérer six heures. Juste avant de servir, remplir des petits gobelets, jusqu'au quart, avec de la glace pilée puis y verser le mélange auparavant filtré.

HUCKLEBERRY DRINK

4 cl de sirop de myrtille

6 cl d'eau chaude

1 cl de jus d'orange passé

1 rondelle d'orange

Voici une boisson chaude que les enfants, surtout, apprécient l'hiver quand les journées sont rudes.
Mettre le sirop de myrtille dans le gobelet, mélanger à l'eau chaude et ajouter le jus d'orange. Inciser la rondelle d'orange et la fixer sur le bord du verre ou bien la poser simplement dans le verre.

Incandescence des Alpes

Ice-Cream Soda à la framboise

ICE-CREAM SODA À LA FRAMBOISE

3 cl de sirop de framboise

2 cl de lait concentré

1 cuillerée à dessert bien remplie de glace à la framboise

Eau de Seltz

1 cuillerée à dessert bien remplie de glace à la vanille

2 cuillerées à dessert de crème chantilly

1 cuillerée à dessert de framboises fraîches

L'anniversaire de votre enfant sera encore plus réussi si vous y servez des Ice-Creams Sodas à la framboise.
Mettre d'abord le sirop de framboise dans un grand gobelet, ajouter le lait concentré et la glace à la framboise et remplir le verre à volonté avec l'eau de Seltz. Ensuite, ajouter la glace à la vanille, surmonter d'un dôme de crème chantilly et décorer avec les framboises. Servir avec une paille.

204

ICE-CREAM SODA AU CHOCOLAT ET À L'ANANAS

2 cl de sirop d'ananas

2 cl de sauce chocolat

2 cuillerées à dessert d'ananas râpé

2 cl de lait concentré

1 cuillerée à dessert bien remplie de glace à la vanille ou à l'ananas

Eau de Seltz

1 cuillerée à dessert de glace au chocolat

1 cuillerée à café de crème chantilly

1 cuillerée à café d'ananas râpé

Mettre le sirop, l'ananas, le lait et la glace à la vanille ou à l'ananas dans un grand verre. Remplir d'eau de Seltz. Décorer avec la crème et l'ananas. Servir avec une paille et une cuiller.

INCANDESCENCE DES ALPES

POUR 2 PERSONNES

12 cl de lait

5 cl de sirop de cerise

2 cuillerées à dessert bien remplies de glace à la vanille

10 cl de Coca-Cola

Passer au mixer le lait, le sirop de cerise et la glace à la vanille ; verser dans un grand verre étroit et remplir de coca. Servir avec une paille.

JACKIE

2 à 3 cubes de glace

1 cuillerée à café de jus de framboise

4 cl de lait concentré

1 cuillerée à café de pâte d'amande

Eau de Seltz

Les enfants adorent quand on leur prépare un drink et celui-ci leur plaira sûrement. Piler grossièrement la glace, en remplir un gobelet jusqu'à la moitié. Verser le jus de framboise, le lait concentré et la pâte d'amande par-dessus, bien remuer et remplir le verre d'eau de Seltz.

KETCHUP CUP

4 cl de ketchup

1 jaune d'œuf

2 cuillerées à café de jus de citron

1 pincée de sucre

2 cuillerées à café de crème fraîche

Poivre blanc fraîchement moulu

Mettre le ketchup, le jaune d'œuf, le jus de citron et le sucre dans un verre à mélange. Bien remuer avec une longue cuiller. Verser dans une coupe à cocktail. Faire couler la crème au centre du verre. Remuer très brièvement avec une longue cuiller. Saupoudrer de poivre blanc.

Kon-Tiki

KON-TIKI

12 cl de lait

2 cl de sirop d'ananas

1 cuillerée à dessert bien remplie de glace à l'orange

1 pincée de sucre vanillé

Coca-Cola

Il y a très longtemps, bien avant l'arrivée des Espagnols, que les Incas connaissent des boissons glacées rafraîchissantes. Ce drink tient son nom de l'ancien roi des Incas, Kon-Tiki. Il est désaltérant et tonifiant.
Passer tous les ingrédients, excepté le coca, au mixer. Verser dans un grand gobelet et compléter avec le coca. Servir avec une paille.

Ketchup cup

LAIT AU CITRON

2 à 3 cubes de glace

2,5 cl de grenadine

15 cl de lait froid

2,5 cl de jus de citron

Mettre tous les ingrédients dans un verre à mélange, remuer avec une longue cuiller, puis verser dans un grand gobelet.

LAIT AU GINGEMBRE

25 cl de lait

1 cuillerée à dessert de gingembre confit coupé en petits morceaux

Sucre à volonté

1/2 banane

1 à 2 cuillerées à dessert de sucre

Huile pour graisser le papier

1 à 2 cuillerées à dessert de crème chantilly

Faire bouillir le lait et le gingembre, sucrer à volonté et laisser refroidir. Remuer de temps en temps afin qu'il ne se forme pas de peau. Couper la demi-banane épluchée en rondelles. Faire fondre et roussir le sucre dans une poêle. Tourner et retourner les rondelles de banane dans le sucre caramélisé. Laisser sécher les rondelles de banane sur du papier parcheminé enduit d'huile. Verser le lait dans un gobelet, décorer avec la crème chantilly et les rondelles de banane. Servir avec une paille et une longue cuiller.

Limonade

LAIT ESTIVAL

4 cuillerées à dessert de baies de cassis fraîches

1 à 2 cubes de glace

25 cl de lait froid

1 pointe de cannelle

1 cuillerée à café de sucre en poudre

1 rondelle de citron

Mettre le cassis au fond d'un gobelet et les glaçons par dessus. Passer le lait, la cannelle et le sucre en poudre au mixer et verser dans le verre.

Garnir d'une rondelle de citron et servir avec une longue cuiller.

LIMONADE

POUR 4 À 6 PERSONNES

Le jus passé de six citrons

1 litre d'eau froide

225 g de sirop de sucre ou de sucre en poudre

8 à 12 cubes de glace

4 à 6 rondelles de citron ou 4 à 6 branches de menthe fraîche

Mettre le jus de citron, l'eau et le sirop de sucre dans une grande carafe. Mélanger et mettre au frais. Avant de servir, mettre deux glaçons dans chaque verre et verser la limonade par-dessus. Décorer à volonté avec une rondelle de citron ou une branche de menthe fraîche. Servir avec des pailles.

MILK-SHAKE À LA TOMATE

POUR 4 PERSONNES

25 cl de lait

25 cl de jus de tomate

1/2 cuillerée à café de moutarde forte

1/2 gousse d'ail écrasée

Sel et poivre selon le goût

Il existe plusieurs boissons au lait. Les enfants et les adultes les apprécient, qu'elles soient préparées avec des fruits ou des légumes.
Passer au mixer le lait, le jus de tomate, la moutarde et la gousse d'ail. Saler et poivrer à volonté.

MILK-SHAKE À LA VANILLE

1 cuillerée à dessert de glace à la vanille

2 cl de sirop de vanille

1 cuillerée à café de sirop de malt

12 cl de lait

On appelle aussi ce cocktail Orchidée, en raison de son arôme de vanille très prononcé. En effet, la vanille est une plante de la famille des orchidées, qui, à l'origine, poussait au Mexique. Pour obtenir à cet aromate si merveilleux, les Hollandais et les Français en ont dérobé les plants de façon plutôt risquée afin de les emporter avec eux à l'étranger. Passer tous les ingrédients au mixer et verser dans un grand verre. Servir avec une paille. On peut, si l'on veut, remplacer le sirop de vanille par de la liqueur de vanille.

MIX AUX FRUITS

1/2 banane mûre

4 cl de jus d'orange

1 cuillerée à dessert de miel

1 goutte d'extrait d'amande amère

1 cuillerée à dessert de glace à la vanille

12 cl de lait

Voici un milk-shake sans alcool qui ne se contente pas de rafraîchir les automobilistes ou de faire plaisir aux enfants lors d'un anniversaire, mais que l'on peut aussi

Milk-shake à la tomate

servir les jours de grande chaleur.
Passer tous les ingrédients au mixer, bien mélanger et servir dans un gobelet avec une paille.

MIX-BANANE

12 cl de lait

2 jaunes d'œufs

1 cuillerée à café de crème fraîche

1/2 banane

Le zeste râpé d'un demi-citron

1 cuillerée à café de sucre

2 cubes de glace

Une boisson, à la fois rafraîchissante et nourrissante, qui convient à tout le monde. Elle convient aussi en particulier aux enfants ayant peu d'appétit.
Passer tous les ingrédients au mixer ; mettre la glace légèrement pilée dans une coupe et verser le mélange au dessus. Servir avec une paille.

ORANGE SMILE

2 à 3 cubes de glace

5 cl de grenadine

10 cl de jus d'orange

Ce drink est rafraîchissant et plaît aussi aux enfants. Ceux qui n'apprécient les cocktails que lorsqu'ils sont alcoolisés, pourront ajouter un peu de gin dans cette boisson.
Mettre la glace et tous les ingrédients dans le shaker et secouer énergiquement quelques secondes. Verser dans un petit gobelet et servir avec une paille.

Panier à salade

PINK PEARL

POUR 6 PERSONNES

3 à 4 cubes de glace

25 cl de jus de pamplemousse

2 cl de jus de citron

1 ou 2 cl de grenadine

1 à 2 blancs d'œufs

L'alcool n'est pas partout indispensable. Ce short drink sans alcool et très rafraîchissant peut tout à fait rivaliser avec d'autres cocktails.
Piler la glace et la mettre dans le shaker. Ajouter tous les autres ingrédients et secouer énergiquement. Verser dans des verres à cocktail et servir immédiatement. Si vous désirez faire de ce drink un véritable cocktail, n'ajoutez que du gin ou de la vodka.

PRAIRIE OYSTER

2 cuillerées à café de sauce worcestershire

1 jaune d'œuf

2 cuillerées à café de ketchup

2 traits de jus de citron

2 traits d'huile d'olive

1 verre d'eau fraîche

Paprika doux

Sel

Poivre gris

Mettre la sauce worcestershire dans un verre à cocktail. Faire glisser le jaune d'œuf délicatement dans le verre. Ajouter le ketchup. Épicer de sel, poivre et paprika. Verser le jus de citron et l'huile d'olive pardessus et servir.

RED ROSE

1 pot de yaourt (175 g)

12 cl de jus de tomate

2 cuillerées à café d'herbes passées à la moulinette (ciboulette, persil et fenouil sauvage)

1 pincée de sel

1 pincée de sucre

Une délicieuse spécialité lactée des Balkans pour agrémenter un régime amaigrissant, par exemple le rendre moins rébarbatif.
Passer tous les ingrédients au mixer et servir dans un grand gobelet.

SANTÉ

2 carottes

25 cl de babeurre

1 pincée de sel

1 pincée de sucre

Voici une boisson pour l'été ey particulièrement conseillée lorsque les enfants en bas âge sont déshydratés. Laver les carottes et les passer au mixer avec les autres ingrédients. Servir dans un grand gobelet bien frais. À défaut de carottes fraîches, on peut aussi utiliser 12 cl de jus de carottes frais. La boisson aura ainsi un arôme plus prononcé.

PANIER À SALADE

125 g d'épinards

1 cuillerée à café de miel

Le jus d'un demi-citron

12 cl de lait

Le nom insolite de cette boisson induit en erreur car il n'a aucun rapport avec la prison. Il s'agit, en fait, d'un cocktail de légumes assez inhabituel. Passer les épinards dans la centrifugeuse afin d'en extraire le jus. Mélanger le jus d'épinards, le miel et le jus de citron et ajouter le lait. Bien remuer et servir dans un verre ballon ou un gobelet.

SHAKE À LA FRAISE

5 ou 6 fraises fraîches

12 cl de lait

3 cuillerées à café de sucre en poudre

1 cuillerée à dessert bien remplie de glace à la fraise

1 cuillerée à dessert de crème chantilly

Laver les fraises et les équeuter. Passer au mixer tous les ingrédients, excepté la crème chantilly et deux fraises. Verser le contenu du mixer dans une coupe et garnir d'un dôme de crème chantilly. Décorer avec les fraises et servir avec une paille et une cuiller. Si on remplace le lait frais par la même quantité de babeurre et que l'on utilise du sucre vanillé, cette boisson n'en sera que meilleure.

Shake à la fraise

SHAKE AU GINGEMBRE

2 cl de sirop de gingembre

1 cuillerée à dessert bien remplie de glace à la vanille

12 cl de lait froid

Passer tous les ingrédients au mixer et servir bien frais dans un gobelet.

SHAKE AUX NOIX ET AU MALT

1 cuillerée à dessert bien remplie de glace à la vanille

1 cuillerée à café de pâte de noix sucrée

1 cuillerée à café de poudre de malt

1/2 cuillerée à café de sirop de caramel

12 cl de lait

Passer tous les ingrédients au mixer et servir dans un grand verre avec une paille.

Shake aux noix et au malt

Shake citron-yaourt

Mettre le sirop de caramel, la glace à la vanille et le lait dans le verre à mélange. Verser dans un gobelet. Décorer d'un dôme de crème chantilly et servir avec une paille et une cuiller.

SHAKE CASSIS

2 cuillerées à dessert bien remplies de cassis

2 cuillerées à café de sucre en poudre

1 cuillerée à dessert de glace à la vanille

12 cl de lait froid

À défaut de baies de cassis fraîches, on pourra utiliser du sirop de cassis, de la confiture ou de la gelée.
Passer tous les ingrédients au mixer et servir avec une paille dans un gobelet moyen.

SHAKE CITRON-YAOURT

175 g de yaourt maigre bien frais

Le zeste râpé et le jus d'un demi à un citron

1 à 2 cuillerées à café de miel

1 jaune d'œuf

1 rondelle de citron

Passer soigneusement au mixer tous les ingrédients, excepté la rondelle de citron. Verser dans un grand gobelet et décorer selon le goût avec une rondelle de citron. Servir avec une paille.

SHAKE CARAMEL

2 cl de sirop de caramel

1 cuillerée à dessert bien remplie de glace à la vanille

12 cl de lait

2 cuillerées à dessert de crème chantilly

SORBET ANANAS-FRAISE

1 cl de sirop de fraise

1 cuillerée à dessert de purée de fraises fraîches sucrées

2 cuillerées à dessert de lait concentré

1 cuillerée à dessert de glace à la fraise

1 cl de sirop d'ananas

1 cuillerée à dessert d'ananas râpé en conserve

2 cuillerées à dessert de lait concentré

1 cuillerée à dessert de glace à la vanille

Eau de Seltz

2 cuillerées à dessert de crème chantilly

1 cuillerée à dessert d'ananas râpé

1 grosse fraise

Sorbet ananas-fraise

Voici un magnifique sorbet pour petits et grands. Mettre tous les ingrédients, successivement et dans l'ordre de la recette, dans un grand verre. L'eau de Seltz doit juste recouvrir la dernière couche de glace. Surmonter d'un dôme de crème chantilly. Disposer l'ananas râpé tout autour et mettre la fraise au milieu. Servir aussitôt.
Les sorbets peuvent se préparer avec toutes sortes de fruits. Ne pas décorer avec des pommes, des poires, des citrons, des oranges et des raisins.

SORBET YAOURT

175 g de yaourt

12 cl de jus de pomme

2 cuillerées à café de miel

1 doigt de citron passé

Ce sorbet yaourt, idéal pour garder la ligne, sera très vite préparé. Mixer tous les ingrédients et servir avec une paille dans un gobelet moyen.

SUMMER DELIGHT

2 à 3 cubes de glace

Le jus passé d'un citron vert

2,5 cl de sirop de framboise

Eau de Seltz

1 rondelle de citron vert

4 à 6 framboises

Mettre les glaçons dans un grand verre et ajouter le jus de citron vert et le sirop de

THÉ À LA RUSSE

12 cl de thé noir très chaud,
1 cuillerée à café de confiture
de cerise ou de framboise

Vous pouvez aussi préparer
ce thé à la russe sans samo-
var. Verser le thé dans un
verre à thé et, selon le goût,
sucrer avec la confiture de
cerise ou de framboise.
Aromatiser, éventuellement,
avec une rondelle de citron
passée dans la cannelle.

Thé à la russe

Summer delight

framboise. Remplir d'eau de
Seltz et décorer avec les fruits.
Mélanger délicatement et ser-
vir avec une paille.

THÉ À LA MÛRE

4 g de thé à la mûre

12 cl d'eau bouillante

1 cuillerée à café de miel

12 cl de citron

Mettre le thé dans une théière
réchauffée. Verser l'eau
bouillante. Laisser infuser dix
minutes. Verser le thé dans un
verre à thé et servir avec miel
et citron.

THÉ À L'ANIS

POUR 4 PERSONNES

25 cl d'eau

1 cuillerée à café de graines
d'anis

25 cl de thé

1 cuillerée à café de noix
hachées grossièrement

Cette boisson à base de thé
est encore bien trop peu
connue, mais sa saveur est
exquise.
Porter l'eau et les graines
d'anis à ébullition. Laisser
infuser cinq minutes et
mélanger au thé chaud. Servir
dans de grandes tasses de
porcelaine et saupoudrer avec
les noix hachées.

Thé à l'anis

211

THÉ AU GINGEMBRE

1 cuillerée à café de thé

1 petit morceau de gingembre vert

25 cl d'eau bouillante

2 cl de jus de citron

Sucre à volonté

2 à 3 cubes de glace

1/2 rondelle de citron

Mettre le thé et le gingembre dans une casserole et verser l'eau bouillante par-dessus. Laisser infuser cinq minutes et verser. Aromatiser avec le jus de citron et sucrer. Mettre les glaçons dans un grand gobelet et y verser le thé. Déposer la demi-rondelle de citron dans le verre et servir avec une paille.

Thé au gingembre

THÉ AU SUREAU

3 cuillerées à café de thé au sureau

25 cl d'eau bouillante

1 cuillerée à café de miel.

La consommation de breuvage à base de sureau noir (celui que l'on cultive) a toujours été bénéfique pour la santé. Grâce aux huiles éthérées et au tanin contenus dans le thé au sureau, ce dernier fait transpirer et est donc utilisé comme remède contre les rhumes et la fièvre. Voici la façon de le préparer : mettre le thé au sureau dans un gobelet et verser l'eau bouillante par-dessus. Laisser infuser dix minutes. Verser dans une théière ébouillantée en le filtrant dans une passoire. Sucrer au miel.

THÉ AUX ÉPICES

POUR 3 À 4 PERSONNES

1 litre de thé noir très chaud

1 à 1 cuillerée et demie à dessert de miel

8 cl de jus de citron passé

2 traits de tabasco

4 rondelles de citron

4 petits bâtons de cannelle

Les épices jouent un rôle considérable dans la préparation de nombreuses boissons au thé. Elles vont du citron, en passant par les épices connues, au tabasco, dont on connaît moins l'utilisation dans le thé.

Remuer le thé chaud avec le miel, le jus de citron et le tabasco. Puis servir très chaud dans un verre avec une rondelle de citron et un petit bâton de cannelle.

THÉ GLACÉ AUX ÉPICES

POUR 4 PERSONNES

2 cuillerées à café de thé à la menthe

2 cuillerées à café de thé noir

2 cuillerées à café de poudre de gingembre

1 bâton de cannelle

4 clous de girofle

1 litre d'eau bouillante

Le jus filtré de trois citrons

8 à 12 cubes de glace

4 à 8 brins de menthe fraîche

Mettre le thé à la menthe, le thé noir, la poudre de gingembre, le bâton de cannelle et les clous de girofle dans une théière ou un plat. Puis verser dans un grand gobelet et compléter avec du thé noir glacé. Ajouter des glaçons, selon le goût, et servir avec une paille.

Thé nord-africain

THÉ NORD-AFRICAIN

POUR 4 PERSONNES

75 cl d'eau

150 g de sucre

16 cuillerées à café de thé vert

4 brins de menthe fraîche

Porter l'eau à ébullition et y faire fondre le sucre. Retirer la casserole du feu et ajouter le thé, puis laisser infuser trois à quatre minutes. Verser dans quatre verres à thé dans lesquels on mettra un brin de menthe. Servir sans attendre. Selon le goût, on peut bien sûr diminuer la quantité de sucre.

TISANE DE TILLEUL

10 g de feuilles de tilleul fraîches ou séchées

2 à 3 tasses d'eau bouillante

2 à 3 cuillerées à thé de miel

Les feuilles de tilleul ont des qualités thérapeutiques telles qu'on devrait en avoir en permanence dans la pharmacie familiale. La tisane de tilleul est un remède efficace contre les refroidissements, et les affections des voies respiratoires ; nos ancêtres l'avaient déjà essayée et appréciée. Échauder le tilleul avec l'eau bouillante et laisser infuser cinq minutes. Puis verser dans des tasses en utilisant une passoire et sucrer au miel selon le goût. Cette recette est calculée pour deux tasses.

CONSEIL

Une autre façon de servir la tisane de tilleul : glacée avec du citron à la place du sucre, elle devient alors un rafraîchissement délicieux pour l'été.

TOMATO COCKTAIL 1

2 à 3 cubes de glace

1/2 cuillerée à café de sauce worcestershire

1 cuillerée à café de jus de citron

10 cl de jus de tomate

1 pincée de sel

1 pincée de paprika

1 pincée de poivre noir

Ce cocktail contribuera à effacer les effets des «lendemains difficiles»; vous pourrez également le servir en apéritif. Si vous le préférez particulièrement corsé, vous pourrez utiliser du piment ou du tabasco à la place du poivre noir. Mettre la glace, la sauce worcestershire, le jus de citron, le jus de tomate, le sel, le paprika et le poivre dans un verre à mélange. Remuer et servir dans un grand gobelet ou un grand verre à cocktail.

Thé glacé aux épices

Tomato cocktail 2

TOMATO COCKTAIL 2

2 à 3 cubes de glace

1 doigt de ketchup

1 doigt de worcestershire sauce

1 pincée de sel au céleri

2 gouttes de jus de citron

5 cl de jus de tomate

Mettre tous les ingrédients dans un shaker. Secouer fortement. Verser dans un verre à vin ou une coupe à champagne et servir avec une paille. Si l'on veut, on peut renforcer le goût de cette boisson avec un peu de poivre ou, même, du tabasco.

213

INDEX ALPHABÉTIQUE DES INGRÉDIENTS

Mazzagran, Mint julep, Mississipi, Miss Whiff, Morning glory, Napoléon, New Orleans fizz, Olivette, Petit-déjeuner d'homme, Planter's punch, Punch au lait, Punch au porto, Punch créole, Quarter deck 2, Rhum flip, Rhum sour, Royal Bermuda, Rye daisy, Samba eggnog, Sangaree au brandy, Scotch cooler, Stromboli, Summer splitter, Thé glacé au curaçao, Tropical itch, Vermouth flip, Vin aromatisé aux kumquats, Vin aromatisé Balaclava, Washington cocktail, Whisky cocktail, Whisky daisy, Whisky fizz, Xérès flip.

sirop d'orange : Bonanza frceze, Fakir, Ice-Cream-Soda checrio, Punch à l'orange, Wodka crusta.

sliwowitz : Sliwowitz cocktail, Southern comfort, Scarlett O'Hara.

T

tabasco : Last but not least, Thé aux épices.

tequila : Acapulco, Margarita, Maria Mexicana, Sangria sling, Sunrise, Tequila caliente, Tequila cocktail, Tequila fix.

thé : Arack-punch, Arack-punch aux œufs, Brandy punch aux œufs, Brandy tea punch, Eau-de-vie de genièvre, Gazouillis du harem, Grog américain, Pendennis toddy, Punch à l'ananas, Punch à la pomme, Punch à la prunelle, Punch anglais, Punch au sureau, Punch au thé, Punch au thé à la mauve, Punch au thé et au vin rouge, Punch au thé flambé, Punch caramel, Punch français, Rhum flip, Sangaree au brandy, Thé à la mûre, Thé à l'anis, Thé à la russe, Thé au gingembre, Thé au sureau, Thé aux épices, Thé écossais, Thé glacé au curaçao, Thé glacé aux épices, Thé glacé de Cuba, Thé nord-africain, Vin chaud spécial, Xalapa punch.

Tia Maria : Tia Alexandra.

tokay : Admiral highball.

tonic : Rabbit's revenge, Red tonic, Tonic Jascha.

V

vanille : Liqueur de fraise, Liqueur de vanille, Rêve ananas.

vermouth : American beauty.

vermouth blanc : Blondie, Charleston, Cooperstown, Crystal highball, Éclair vert, Geisha, Half and half, Manhattan sweet, Martini orange, Moonlight, One exciting night, Orange bloom, Queen's cocktail, Ray Long, Raymond Hitch cocktail, Rolls Royce, Satan's whiskers-straight, Sink or swim, Uncle Henning, Vermouth Addington.

vermouth dry : Bamboo, Beau rivage, Beautiful, Blackthorne, Bronx, Brooklyn, Champagne pick-me up, Charleston, Chocolate soldier, Cooperstown, Fleur rouge, Frozon Caruso cocktail, Jeune homme, Mallorca, Myra, Panther's sweat, Pêle-mêle.

vermouth dry français : Continental cocktail, Country club cocktail, Ecstasy cocktail, Green sea, Kangaroo, Klondyke, Klondyke cooler, Manhattan dry, Manhattan sweet, Martini dry, Martini medium, Martini orange, Martini very dry, Merry widow 1, Mona Lisa, One exciting night, Pause programme, Peter Pan, Présidente, Queen's cocktail, Red kiss, Ritz Macka, Rolls Royce, Rose cocktail, Satan's whiskers straight, Sorbet fruits, Soul kiss, Star cocktail, Taxi cocktail, Tous les garçons, Universal cocktail, Vermouth Addington, Vermouth cassis, Vodka Gibson, Vodkatini, Washington cocktail, William's favourite, Yellow daisy, Yellow Submarine.

vermouth extra dry : Martini on the rocks, Uncle Henning.

vermouth italien : Continental cocktail.

vermouth rouge : Américano, Beau rivage, Brandy cocktail, Bronx, Byhrr cocktail, Campichello, Capri cocktail, Cocktail Adonis, Cocktail bijou, Crystal highball, Fanciulli, Fleur rouge, Gloegg des Alpes, Golden cocktail, Hot Italy, Island highball, Klondyke cooler, Manhattan latin, Martini me-

dium, Martini sweet, Natacha, Negroni, Ohio, Ouverture, Paddy, Ritz Macka, Sheepshead cocktail, Stonehammer cocktail, Tango cocktail, Vampire killer, Vermouth flip, Vodka crusta, York cocktail.

vin : Vin aromatisé à la fraise.

vinaigre : President Taft's opossum.

vin blanc : Cardinal, Eau-de-vie de genièvre, Moitié-moitié, Punch du chasseur, Punch impérial 1, Punch roux, Royal drink, Sillabub, Vin aromatisé à l'abricot, Vin aromatisé à la framboise, Vin aromatisé à la pêche, Vin aromatisé au céleri, Vin aromatisé au citron, Vin aromatisé au melon, Vin aromatisé au concombre, Vin aromatisé aux oranges, vin aromatisé de mai, Vin aromatisé exotique, Vin aromatisé paradis.

vin de Bourgogne : Bourgogne ardent, Cobbler bourguignon, Vin aromatisé aux griottes.

vin de Moselle : Cocorico, Vin aromatisé à la rose.

vin du Rhin : Allahbad, Champagne flip, Hock cup, Punch amazone, Vin aromatisé à la rose, Vin aromatisé aux kumquats.

vin rouge : American cooler, Briseglace, Cardinal, Claret cup, Désir de parier, Gazouillis du harem, Gloegg des Alpes, Hot locomotive, Myra, Petit vin aromatisé flambé, Punch à l'ananas, Punch au citron, Punch au thé et au vin rouge, Punch de Nuremberg, Sang de cosaque, Sangria, Vague, Xalapa punch.

violettes : Liqueur de violettes.

vodka : Ale sangaree, Black Russian, Bloody Mary, Désir de parier, Éclair vert, Gipsy, Green dragon, Green sea, Hairy's dry jumbo, Ice-cream frappé citron, Kangaroo, Lara, Myra, Newskij Prospect, Nuits orientales, Pasha's pleasure, Red tonic, Ritz Macka, Sang de cosaque, Screw driver, Sputnik, Sputnik cocktail, Tonic Jascha, Tovaritch, Tropical itch, Universal cocktail, Vodka crusta, Vodka daisy, Vodka fizz, Vodka Gibson, Vodkatini, Woiga orange, Woiga Woiga, Zubrowkatini.

W

whisky : Admiral highball, Ale passez muscade, Blue blazer, Brooklyn, Cablegram cooler, Cap Kennedy, Cocktail au sirop d'érable, Cow-boy, Golden daisy cocktail, Highball au gingembre, Hot Italy, Lieutenant cocktail, Mint cocktail, Morning glory, Napoléon, Ouverture, Punch éclair, Quarter deck 2, Red shadow, Rickey, Snowball, Special fizz, Stone fence, Sweet Lady cocktail, T.E.E., Veuve joyeuse, Whisky cocktail, Whisky cooler, Whisky julep, Whisky soda, York cocktail, Zazarac cocktail.

whisky canadien : Manhattan cooler, Manhattan dry, Manhattan latin, Manhattan sweet, Monte Carlo, Page court.

whisky écossais (scotch) : C et S, British lion, Guillome sour, Knickebein, Knock-out, Last but not least, Mango glory, Mary of Scotland, Scotch cooler, Thé écossais, Trace de barbares, Whisky punch.

whisky irlandais : Irish coffee, Paddy.

X

xérès : Anti-gueule-de-bois, Bamboo, Blackstone, Cocktail Adonis, Duplex, Flip Flap, Gargantua, Punch du chasseur, Quarter deck 1, 2, Up-to-date, Vin aromatisé aux olives, Xérès flip.

INDEX ALPHABÉTIQUE DES RECETTES

INDEX ALPHABÉTIQUE DES RECETTES